我的第一本科学漫画书·寻宝记系列

意大利寻宝记 1

[韩] 小熊工作室 / 文
[韩] 姜境孝 / 图
张 卡 / 译

二十一世纪出版社
21st Century Publishing House
全国百佳出版社

推荐序

阅读轻松通俗的漫画，
打开前往世界的大门！

著名历史学家 熊月之

世界已经进入地球村时代，各国、各地区之间的联系日益广泛而密切。中国是世界的一部分。随着改革开放国策的成功实行，综合国力的不断增强，国际地位的持续提升，中国与世界的联系，无论是在经济、政治、社会还是在文化方面，都比以往任何时候更加广泛而深入。中国比以往任何时候都更需要了解世界。

世界的今天是世界的昨天、前天的继续。要了解今天的世界，必须了解昨天的世界与前天的世界。然而，环球万邦，史迹千载，山川形胜不同，风土民情各异，名人灿若繁星，要事纷纭错综，攻守战和，兴亡代谢，波谲云诡，光怪陆离，可骇可怪，可赞可叹，笔墨难以描摹！要了解这么纷繁悠久的世界历史，谈何容易！即使是才高八斗的历史学家，也只能专攻一国一地一时一段或某一领域某一侧面的历史，倘若要少年儿童在漫无路径的情况下去了解这些浩渺无涯的知识，那只能是一头雾水，望史兴叹！

在这方面，韩国出版界做了一件很有意义的工作，出版了一套以介绍世界各国历史为中心内容的知识漫画书。这套书题为“我的第一本科学漫画书 寻宝记系列”，以国家为单元，每册一国，包括伊拉克、法国、印度、埃及、美国、日本、希腊、俄罗斯、德国、澳大利亚、巴西、英国等。书中通过两位寻宝少年——布卡和麦克在世界各地探险寻宝的经历，展示丰富多彩的世界历史画卷，如同以一根丝线，串起一盘散落的珍珠，内容涉及各个国家和地区的文明遗迹、历史沿革、著名建筑、人文特点、社会习俗等。该书以探险寻宝为切入点，深合小朋友强烈的好奇心与旺盛的求知欲。书中悬念丛生，高潮迭起，时而山重水复，时而柳暗花明，环环相扣，引人入胜。小朋友在轻松有趣的阅读中，随着寻宝少年的足迹，可以一览两河流域文明的风采，探寻埃及金字塔的奥秘，欣赏巴黎卢浮宫的典雅精致，领略印第安人的古朴生活，感受俄罗斯人的浪漫芭蕾，品尝韩国泡菜、日本寿司的独特美味……在各篇漫画单元之后，均设有"布卡或麦克的世界小常识"知识点，将与各单元相关的世界历史知识进行深入浅出的讲解，使零散的历史知识连缀起来，形成一个国家或地区的简明历史。本丛书漫画夸张而生动，文字简洁而明快，图文并茂，相得益彰。

该系列图书在韩国一出版即深受小朋友欢迎，热销400万册。现在，二十一世纪出版社慧眼独具，将其引进中国，翻译出版。可以预期，这套书也会以其独特的风格、丰富的内容、别致的形式，激发我国广大少年儿童对世界历史文化的兴趣。

2008年10月

在艺术之国意大利的寻宝之旅，谁会是最后的赢家？

意大利地处亚平宁半岛，宛如一只长靴斜斜地伸向万顷碧波的地中海，连同那鞋尖前的西西里岛，意大利整个国土面积约30.1万平方千米，人口约6074万(2012年)。意大利的首都为罗马，于公元前753年建城，到3世纪～4世纪时发展成全盛的罗马帝国，其版图遍及整个地中海沿岸；后经多次分裂和外部入侵，直至1861年，亚平宁半岛上的诸王国才归于一统，并建立意大利王国。1946年6月意大利举行公民投票，废除君主制，宣布成立意大利共和国。

提起意大利，人们自然会联想到历史上煊赫一时的古罗马帝国、毁于一旦的庞贝古城、闻名于世的比萨斜塔、文艺复兴的发祥地佛罗伦萨、风光旖旎的“水城”威尼斯、被誉为世界第八大奇迹的古罗马竞技场……14世纪～16世纪时，意大利的文化、艺术空前繁荣，不仅成为欧洲文艺复兴运动的中心，还孕育出但丁、达·芬奇、米开朗基罗、拉斐尔、伽利略等一大批杰出的文化与科学巨匠，对人类文明的进步作出了无可比拟的巨大贡献。如今在意大利，到处都可见到古罗马时代宏伟建筑的遗迹和文艺复兴时代的绘画雕刻、古迹、文物。被称为世界文明古国的意大利，可谓是一个在文化、艺术等各领域都走在世界前沿的神奇国度。

这次，布卡和麦克应邀来到罗马参加“世界历史猜谜大赛”，并组合成实力最强的二人组，朝着高额奖金、神秘的奖品和至高荣誉冲刺。宿敌、强敌接踵而至，过关斩将并获得冠军的二人组却未能如愿拿到奖金和奖品……

为了证明自己是真正的寻宝王，布卡和麦克二人马上又从猜谜大赛转入了寻找恺撒历碎片的冒险之旅。原来，所谓的“世界历史猜谜大赛”只不过是一个幌子，神秘的举办者只是通过大赛筛选合格的寻宝人选。就在布卡和麦克身陷险境之时，这个神秘人物从天而降，他是来营救他们两个的吗？突然，情况变得异常复杂……现在，就让我们跟随布卡和麦克的脚步，一起去意大利探寻历史瑰宝、感受华丽的文艺复兴文化吧！

2013 年 5 月

目录

人物介绍

布 卡

**拥有出众的头脑、
惊人的体力与食量的寻宝王。
行动时经常毫无计划，只凭直觉，
给麦克带来不少麻烦。**

布卡心中的意大利宝物
比萨和意大利面。
布卡的意大利旅行小建议
一定要品尝不同于美式比萨的
正宗的意大利比萨！

麦 克

能将《百科全书》倒背如流，智商高达 180。虽然被误认为是个爱放屁又容易拉肚子的麻烦家伙，但这不影响他证明自己是货真价实的寻宝王。

麦克心中的意大利宝物
保留众多历史遗迹的罗马城。
麦克的意大利旅行小建议
即便说整个罗马是座巨大的博物馆
也不为过，学习罗马的历史
会让旅行更加有趣。

M 公爵

**表面上是收藏家，
但真实身份不为人知，
对宝物怀有十二分的热情。**

M公爵心中的意大利宝物
征服世界的伟大统治者——恺撒。
M 公爵的意大利旅行小建议
一边旅行一边感受
恺撒留存至今的影响力吧！

峰巴巴

参加能获得史上最高奖金与最高荣誉的猜谜大赛，并在直播现场大胆夺走宝物，展现出惊人的“逃跑特长”。

峰巴巴心中的意大利宝物
古罗马的基督教地下墓窖。
峰巴巴的意大利旅行小建议
既然到了梵蒂冈城，
怎能不参观呢？

峰塔娜

精力十足的大坏蛋，拳头比大脑动得更快！虽然会华丽的武术招式，但也因此总给峰巴巴找麻烦。

峰塔娜心中的意大利宝物
还在挖掘中的庞大宝库——庞贝城。
峰塔娜的意大利旅行小建议
当然要去完好保存着古罗马
时代风貌的庞贝城！

弗兰切斯卡

喜欢模仿奥黛丽·赫本的黑暗拍卖师，但是在拍卖场上展现的强势作派却令人不寒而栗。

弗兰切斯卡心中的意大利宝物
美丽的“水城”——威尼斯。
弗兰切斯卡的意大利旅行小建议
威尼斯的面具是尽情享受庆典的
重要饰品，购买面具
是必要的。

其他配角

被布卡和麦克抛弃，只能通过电视观看猜谜大赛的知本教授和安德鲁博士。

虽然没能去意大利看花样美男，不过却在远方为峰巴巴加油的罗拉助教。

拍卖过程中大胆竞价的宝物收藏家。

第1章
谁是最佳搭档
提到比萨，当然就会想到意大利！
嚓
世界历史猜谜大赛参赛资格证！
1st
QUIZ
嚓
地点是意大利的罗马！
嚓
PRIZE MONE
1600
最重要的奖金呢……
有几个零呢？一、二、三、四、五、六、七……
嗯呵呵
呵呵

该来的终于来了!
哈哈
哈哈哈
惊
是!教授!
我没有打瞌睡!

罗拉姐!快看这个!
他们要为我举办
猜谜大赛呢!

只有通过严格审查的人
才可以获得参赛资格证,
我入选啦!
大概是
老天想要
送钱给我吧!
意大利……

罗……罗马!
世界时尚重镇、
名牌的故乡……
也是世界级
花样美男的
聚集之地!
当
当
当
哇!我的偶像——
奥黛丽·赫本所演的《罗马
假日》就是在那里拍摄的!

布卡？
嗯？
你说完了？

参赛是两人一组，
你想好了和谁一起去吗？
如果还没想好的话……
当然已经想好了！
只要叔叔参加的话，一定能够获胜的！

哈哈哈，
是吗？
教授？
那还真是一大强敌。
咚
呜啊啊……
美貌
咻咻
知识
经验
爆发力
内涵

如果不行，就找安德鲁博士。
或者是麦克。
不然就是多瑞咪。
要不那个……

不过布卡呀，要是知本教授没法去的话……
这个嘛……
呵呵呵
啪啪

什么？

打扰了！
叩叩
教授不在，请回去吧！
咻
我不是来找教授的，我是来找布卡的！
咔嚓
嗨，罗拉姐。
怎么了？麦克，你找我？
嗯，我有重要的事要跟你说。
嘘嘘
悄悄地

重要的事情？
能证明我是寻宝王的绝佳机会来了！
哼，谁说你是寻宝王的呀？
哼哼
抖抖抖抖

哗
你看这个！
1st
QUIZ

你听说了吗？
第一届世界历史
猜谜大赛！
哈哈哈哈
必须经过严格的
审查才颁发的
参赛资格证！这是对我
这段时间寻宝的丰功
伟绩的肯定……
嗯？
这是……
看就行了，
别动手！
会弄脏的！
你是说这个吗？

呜呜——
一模一样的！

不可能！
你也收到了？！
这会不会是
假的呢？
噢噢……
哼，没想到主办单位
也会寄参赛资格证给你！
什么
不负责任的
审查啊！

噢，
可爱又聪明，
如同王子般的
麦克！
呜啊！
不可能！
落款和印章
都一模一样！
啪
嗯？
这是两人一组
的比赛，你已经决定和
谁一起参赛了吗？
需不需要有空闲、
历史知识丰富、
外貌清秀的人陪你
一起去呢？
嗯，我要和爸爸
一起去。
什……什么？
安德鲁博士？
咻咻
呜！
两个
叛徒！
挫折

呵
我要和叔叔一起参赛，
冠军一定是我们两个的，
你还是趁早放弃吧！
知本教授和布卡
一组？
安德鲁博士
和麦克……
这话应该我说
才对吧？你不知道本人的
智商高达 180 吗？我可是连
《百科全书》都背下来了！

糟了！麦克的实战经验虽然一塌糊涂，但理论方面却一直都是满分！
我把图书馆的书全都读完了！
汗流浃背
啊，要是布卡一个人我还有把握，但知本教授和爸爸根本就不相上下……
喂，儿子呀！
为什么说我和知本不相上下呢？
汗流浃背
好，现在全世界都在关注本节目！两队得分相同，一起晋升决赛！
哇啊
哇啊
到底谁比较厉害呢？
布卡！击败麦克吧！
猜谜还是麦克最厉害！
我认识他！
麦克加油！

接下来是决赛的问题，
听完下面的叙述后，
请抢答！
秦国最大的土木工程、
匈奴、两千多千米……
啪
滴
滴
答案是
万里长城！
正确，
下一题……
安第斯山脉、
七千多千米、
两条河流……
滴
亚马孙河！
滴
滴
现在进入
加时赛！
滴
金顶磐石
清真寺！
滴
滴
滴
滴
好，
分数又一样！
希望蓝钻石！
滴
答案
正确！
答案是……
伦勃朗……
呼
是……
是我先按的，
你这臭老头……
呼
呼
呼

什……什么？你不知道正确答案吧？
乖乖承认啦……咳咳！
吵吵吵
哼！看来你那随便又冒失的个性过了70年还没变！
你就打算这样过一辈子吗？
吵吵吵
够了，两位老爷爷！
这样下去的话……
对彼此都不利！
沙
点头
我们……
更换搭档吧！
终于……
什么？

你们终于想通了，
肯换搭档了！
就……就是
像我这种……
为了赢得
这次大赛……
组成最棒的组合
只有一个办法！
罗马，
等着我！
就是我们两个
组成一组！
咚
嗯啊！
太过分了
吧！
握

西方文化的发祥地——意大利

意大利的全称是意大利共和国，位于欧洲中南部，主要由长靴形的亚平宁半岛和两个位于地中海的大岛西西里岛和撒丁岛组成，国土面积约 30.1 万平方千米，首都是罗马。意大利北邻法国、瑞士、奥地利和斯洛文尼亚，东隔亚得里亚海与巴尔干半岛相望，南隔地中海与北非相对。1946 年，意大利共和国成立，正式规定绿、白、红三色旗为共和国国旗。意大利的语言和信仰比较单一，几乎所有国民都使用意大利语，只有极少数人使用德语和法语，多达 90%的人信仰天主教。意大利是一个高度发达的民主共和国，是欧洲民族文化的摇篮，同时也是北大西洋公约和欧盟的创始会员国之一。意大利在艺术、科学和技术上拥有悠久的历史，是世界遗产数量唯一高于中国的国家，多达 47 项，位居世界第一。

意大利的特点

意大利是个多山的国家，大部分地区属亚热带地中海型气候，由于三面靠海，北部的阿尔卑斯山又阻挡了冬季来袭的寒流，因而气候温和，阳光充足。意大利地形狭长，不同地区的气候、环境和文化差异较明显。大部分佛罗伦萨以南

的意大利半岛地区都属于典型的地中海型气候，不过由于沿海地区受到海拔及地势的影响，所以气候非常多样化，有时与地中海气候的特征差异很大。

意大利北部的城市因为很早以前商业就很发达，所以在历史上就是富裕阶层的聚居地，如著名的时尚之都米兰，是意大利最大的都市，位列世界顶级都市，是意大利的经济引擎；意大利中部有文艺复兴的发祥地佛罗伦萨和古罗马历史之源的首都罗马，所以保存着很多历史建筑和艺术性很高的文物；南部城市则以古城遗址庞贝和美丽的港口城市那不勒斯等最具代表性，自然条件优越，具有丰饶的自然资源。

意大利各个地区的人民多少都有些不同，这种状况的改变一直很慢，尽管境内人口也在不断流动。意大利南部居民肤色较深，很多人长着深色的头发和黑色的眼睛，体形较为矮小；而北部居民大多数都身材高大，金发碧眼。

北部

南部

意大利的对外关系

意大利因为其特殊的历史背景，长期以来都有参与国际事务的传统。国家的基本对外政策是立足欧洲，强调联合国在国际秩序的作用，因此积极参与联合国所主持的国际活动，包括维和部队、人道救援行动等。

此外，意大利非常重视欧盟建设，积极推动欧洲一体化的主张。因为意大利人认为欧洲的一体化，能够对抗全球化的挑战；强大团结的欧盟，也能够维护意大利的安全和利益。

意大利与中国的交往源远流长，从 13 世纪起，即有意大利著名的旅行家兼商人马可·波罗在中国游历，时间长达 17 年。中意两国于 1970 年正式建交。现在，意大利也在积极推动欧共体与中国的关系，促进双边政治、经济合作。

第2章
强敌现身
我的第一本科学漫画书……
寻……寻宝记系列？
游遍全世界寻找宝物……最帅、身材最棒、最受欢迎的作者所画的漫画书叫什么名字？
快准备灯光！
噢！
噢噢！
20分钟后开始！
大家各就各位！
测试完毕！
噢噢噢！
冒出
喂，布卡！
你打算张着嘴巴发呆到什么时候呀？
比赛就要开始了！

无动于衷的你
才不正常吧？
还有……
精心设计且保存至今的
罗马竞技场！
曾经是世界的
政治、科技、文化、
经济中心的……
看见了吗？
我终于来了！
沙沙
罗马城！
呜
哼，你干脆去
旁边的君士坦丁
凯旋门……
作一首诗算了！
沙沙
凯旋门呀，凯旋门！
乃君士坦丁为了纪念彻底战胜
强敌马克森提乌斯而建！
古罗马时代最大的凯旋门，
耸立于罗马竞技场与古罗马
城间的大道上。拿破仑正是效仿
你而建造了巴黎凯旋门！
就像
这样是吗？
啧啧
这算什么诗呀！
所以你才会
一辈子都是第二！
根本就没有对历史
遗迹产生任何感动！

哼，是这样吗？
那你就在这里尽情地感动吧！
我自己去
参加比赛！
真是
太壮观
了！
咻

奖金也全部
是我的！
咻
对了！
奖……
奖金？

啊啊，麦克！
天才少年麦克！
不要拿我的奖金
开这么恐怖的
玩笑嘛！
哼，我只是
区区第二，怎么会
跟你开玩笑呢？
嗒嗒嗒

请出示参赛资格证
和身份证。
在这里。

在这边。
谢谢！
你们是 21 号，
往这边走吧！
好的。

听说主办单位
在世界各国都发了邀请函，
所以参赛者这么多！
两位的
座位是
17号。
20
21
22
13
14
座位表
25，26，27，28
29，30，31，32
17，18，19，20
21，22，23，24
9，10，11，12
13，14，15，16
1，2，3，4
5，6，7，8
那个……
我们的座位在哪里呢？
9，10，11，12……
……
……
啧，慢吞吞的！
不要挡路，
快点闪开！
29
19、20……
是这边吗？
让开，
我来找。
你们两个那种
让人受不了的德行
还是没变呢！
让人受不了？
谁说的？
什么？

啊！啊！
是峰……峰巴巴……
峰巴巴和
峰塔娜？
咚
咚
你们这
两个罪犯！
竟敢来这里，
真是太好了！
你们知道我
等报仇的这一天
等了多久吗？
呵，真是
冤家路窄呀！
嚓
性子还真急躁，
先看看这个吧！
警察叔叔，
这边……
QUIZ
1st
QUIZ

现在知道了吧？
我们也是有参赛资格且被邀请的客人。
呵呵呵
怎……怎么会？
呵呵呵，你们应该很清楚我们的实力吧？
不……不可能的！呜呜……
今天我们会证明我们比你们更厉害的。
睁大眼睛看清楚吧！
戳
啊！
冠军是我们的！
臭小子……呵呵呵……
戳
他们……
到底在打什么主意？
哈哈哈哈
呵呵呵呵
嘿嘿

啪啪啪
邀请世界各国
最棒的历史专家所举行
的世界历史猜谜大赛！
啪啪
诱人的奖金
与名誉就在眼前，
现在比赛即将开始！
哼！
呃……
气愤！
到底有多少奖金？他竟然
抛弃我，选择和麦克一起去！
哭哭
当爸爸的都被抛弃了，
更何况是叔叔……
啪
……
安德鲁博士，这就是
单身人士的悲哀吗？
你总比被自己儿子
抛弃的我要好吧？
哗
哇啊啊
哇啊啊
啊

哼
我倒要看看你们
究竟有多厉害！
是，很好！
电脑会自动计算参赛的
32组选手的分数，每次
晋级都会淘汰一批参赛者！
下面，第一个问题：
世界四大钻石之一……
那是在
法国的……
怦怦
怦怦
路易十六的王后
玛丽·安托瓦内特所佩戴过
的这颗钻石曾为托斯卡纳
大公所有……
按
按
按
嘀嘀
21
闪
闪
好！
21号最先
按下按钮！

答案是佛罗伦萨钻石。
紧张
答案正确！
第一个问题
21号得分。
太厉害了！
必须的！
接着是第二个问题，
在埃及金字塔……
28
滴滴
图坦卡蒙！
答错了！

据说法老王在存放宝物的墓室设下了诅咒……
据说法老王在存放宝物的墓室设下了诅咒。
青金石！
滴滴
答错了！
在古埃及被视为圣物的，有太阳、老鹰、莲花和……
某种昆虫，请问是……
按
啊，答案！

滴
滴
17
圣……圣甲虫？

答对了！
呵

喷喷
我也知道答案！

德国著名的慕尼黑啤酒节又名“十月节”，是慕尼黑一年中最盛大的活动。
那么，啤酒节起源于什么事件呢？
6
7
8

呵
17
滴滴
1810 年巴伐利亚的王子和萨克森王国的公主的盛大婚礼。
答案正确！

下一个问题——
远嫁俄罗斯的
德国公主……
滴滴
凯瑟琳二世！
英国的史前遗迹，
至今无法解开的谜题……
滴滴
巨石阵！
荷兰最初使用
明暗法的画作……
滴滴
伦勃朗的《夜巡》！
以石头和土坯
建筑闻名的北美
文明是……
滴滴
阿纳萨齐文明！

真是
太厉害了！
哇
哇
哇
只剩下
最后两队了！
28
27
26
25
20
19
18
13
呵
紧张
只剩下决定胜负的
最后一个问题了！
只……只要
答对这个问题
就能获胜？
为……为什么
会口吃呢？
好……好怪！

扑通
扑通
最后
一个问题是——
扑通
扑通
历史上消失的
10天!
指的是什么时候?
消失的原因又是
什么呢?
扑通
扑通
历史上……
消失的10天?

那……那是……

麦克！
布卡！
砰
啪
快点按！

对，
就是那个！
滴滴滴
好……好烫啊！

罗马的历史(1)

母狼育婴图 罗穆卢斯与雷穆斯是罗马神话中的一对双生子,也是罗马城的奠基人。他们一出生便被敌人扔进了台伯河,是一头母狼救了他们。他们长大后不仅报了仇,还在母狼哺育他们的台伯河畔建立了罗马城。

罗马的诞生

公元前2000年,这片土地上已有人居住。但罗马真正建城,是在公元前753年4月21日,至今已有2766年的历史。因为历史悠久,罗马人骄傲地称其为“永恒之城”。罗马人把罗马城的建立归功于罗穆卢斯——传说中的战神玛尔斯之子。相传罗穆卢斯和他的孪生兄弟雷穆斯是由母狼喂养长大的,所以古罗马的城徽图案便是母狼育婴图。最终罗穆卢斯成为了古罗马最大的征服者,将大量地区及其居民纳入罗马的统治范围,这就是罗马帝国的发祥地和根基。1世纪~2世纪,罗马成为了西方历史上最大的帝国,进入了全盛时期。

帝制时代与罗马的灭亡

罗马在公元前510年开始实施共和制,但是公元前60年左右,随着恺撒、庞培和克拉苏获得权力,三人形成了控制国家的“前三头同盟”,并以恺撒的独裁政治收尾。后来恺撒被刺杀身亡,于是屋大维、安东尼和雷必达形成了“后三头同盟”,最后由屋大维获得了胜利,共和制也随之宣告落幕,紧接下来的是皇帝统治的帝制时代,在此期间,罗马帝国不仅确立了社会秩序与宗教,也拟定了人口政策、社会福利和纳税制度等政治体系。屋大维之后虽然是由暴君尼禄继承帝位,但历经这种政治上的混乱后,出现了“五贤帝”,让罗马帝国步入空前盛世。不过,公元180年之后,由于社会动荡,罗马的国势慢慢走向衰退；公元330年君士坦丁大帝将首都从罗马迁至君士坦丁堡；公元395年，罗马分裂为东罗马帝国和西罗马帝国。东罗马帝国又称拜占庭帝国，后来渡过了危机，走上了封建化道路，发展出独具特色的拜占庭文明，绵延千载；而西罗马帝国则在此起彼伏的人民起义和势不可挡的蛮族侵袭中土崩瓦解。

中世纪时代

从公元476年西罗马帝国灭亡到1453年东罗马帝国灭亡，这段时期在欧洲历史上被称为中世纪。有几件大事情可作为中世纪结束的标志，如：1453年君士坦丁堡沦陷、1456年首次使用印刷机、1492年欧洲人发现新大陆、1517年马丁·路德带领新教徒的宗教改革以及艺术在意大利的繁盛等。而中世纪的结束，则标志着文艺复兴时代的开始。

十字军战争是这个时期发生的重要事件之一，当时耶路撒冷被纳入伊斯兰教势力下，与欧洲基督教国家发生冲突，因此而引发战争。从11世纪末直到13世纪末，十字军共兴起8次东征，虽没有真正收复耶路撒冷，却让欧洲与伊斯兰教文明得以交流，意大利的城邦国家也因双边贸易而获利。教廷和封建领主取得了大量财富并因此发展出重视人权的文艺复兴运动，对欧洲文明的发展产生了深远的影响。

想夺回天主教圣地的教皇、想掠夺土地和财富的封建主与骑士、想拓展贸易的商人、想去寻找出路和乐土的奴隶与贫民……每个人都带着不同的目的参与十字军东征，亦或“只是以光荣的冒险去逃避平凡的生活”。

第3章

支配时间的人

历史上消失的10天！
指的是什么时候？
消失的原因又是什么呢？
滴滴滴
好，21号
先按下按钮，请布卡
和麦克回答！
啪
21
答案是什么？
人类的历史
以时间为刻度。
标记时间刻度的
东西就是日历。
紧张

虽然在漫长的历史长河中，先人创造了各式各样的日历，
但现在全世界通用的日历，起源于罗马时代使用的“恺撒历”。
点头
点头
嗯……
恺撒历也称为“儒略历”，是公元前 45 年，由恺撒下令将旧历进行系统的整理并修改而成的。
然而，每年多出约 11 分钟的恺撒历，在使用了 1500 年后……
虽然有闰年作为调整，但误差仍越来越严重。
总觉得一天突然变得很漫长！
11 分钟 × 365 天 × 1500 年
啊，夜晚和白天一样长的日子是春分！
啊！又不对了！
今天到底是啥日子啊？
真糟糕！
春分竟然差了 10 天之多！
如此历法必须尽快调整！
教皇格里高利十三世推出了格里高利历，就是现行的公历，也称格里历。
将那有问题的 10 天直接删除吧！
为了消除当时积累的误差，所以有 10 天消失了！
哇哇
哇哇
哇哇

那么
现在……
只要说出
消失的具体日期
就可以了。
消失的日期
就是……

就是……
一千五百……
八十……几？

咻
就在公布格里历的
1582年10月！
恺撒历在1582年10月4日废止，
紧接着格里历在1582年10月15日
启用，这之间的10天就消失了。
惊讶
昨天
4日
今天
15日
呜！
有10天
消失了！

……
紧张
……

答案正确！
第一届世界历史猜谜大赛
的冠军诞生了！
哗啊
哗啊
哗
我……我们……
胜利了！

成功了！
我们赢了！
拥抱

我们家布卡拿
到第一名了！
我们家
布卡！
蹭来
蹭去
这全都是我们家
麦克的功劳！
我的儿子
麦克！

沙沙
什……么？
这全都是
你的功劳？
没错！
难道我
说错了吗？

才不是呢，最终答案是我说的。
顶
顶
我本来要说完的，结果你突然插嘴。

你有数字恐惧症，一定会答错的！
数字恐惧症？哼，是你有良心丧失症吧？
抖
抖
呜嗯嗯嗯

那么，我们就来见见两位冠军吧！
听说你们两个是非常要好的朋友！
转
看起来真的很亲密呢！

对，当然，我们是超级好朋友！
哈哈哈！
全部看完再说吧！
好……好吧！

举办这场大赛的M公爵将亲自为获胜者颁发奖金与奖品！
WORI
请上台领奖吧！
你先请吧，布卡！
哈哈哈！谢啦，朋友！

踏
呵呵，
很高兴见到你们！
首先，衷心祝贺你们
获得冠军！
嘿嘿！
谢谢！
这场大赛邀请的
是全世界的历史专家，
我们通过多重考验
来选拔出真正具有
实力的人。
因为
有一件事情……
只有冠军
才能够办到。
那就是这个。
嗯？

只有冠军
才能办到的事情？
冠军考古
挖掘赞助！
奖金×10倍
太棒了！
哦耶！
砰
可以获得最高
荣誉的勋章！
太棒了
嘿
嘿
快点打开吧！

咔嚓

当
当
嗯？
这是……

这是价值为奖金数百倍的宝物。
也就是最后一个问题中
出现过的……
最后的……
问题？
!

恺撒下令制作
的日历……
恺撒历的碎片！
什么？
这个？

恺……恺撒下令制作
的日历……
2000 年前的古物！
咕噜

罗马帝国的奠基者——
恺撒下令制作的日历？
它的价值一定远远
超过一般的宝物！

这场大赛的冠军应该有能力
找到其他的恺撒历碎片……
吵闹
吵闹
什么？
吵闹
吵闹

听说有人用
伪造的参赛资格证
混进来！
什……什么？伪造的
参赛资格证？明明
已经严格检查了！
吵闹
吵闹
伪造？
嗯！

果然没错！
对了，
就是他们！

什么？17 号？
呵……

唰
本来还想
低调一点的，
看来不管
是恺撒历还是时间
都不等人呢！
快点报警！
啊啊！
我早就
怀疑这场大赛
另有目的了。
咻咻
啪
啊啊！
咻
咻

嚓
成功了！
咦？
是空的！
恺撒历
碎片呢？
在上面！
咻咻

砰砰
还愣着干吗？
快点去抢回来呀！

刚才你小心一点就
抢到手了！干吗要这样
折磨人呢？
嗒
嗒
嗒

休想得逞！

嗒
嗒

咻
咻
咻

啊？

啪
啪

啪嗒
啪嗒
麦克，
我来帮你……

砰
啊呀呀

呜啊啊啊！
咻咻咻
啊呜呜！
咻咻咻

啪

偷瞄

全世界的美女你们好，
我并不是拿不到冠军，
只是不想拿而已。
这一切全都经过了
严密地计划。
微笑
●REC
各位……
相信我好吗？

快点抓住
那两个人！
咻咻咻
嗯？

你想在监狱里
接受采访吗？
快点逃吧！
抓住他们！
喂！全世界的
美女都在看呢！
拖走
谁要看你
这种人呀？！

啊，
真是太帅了！
整个人散发着
一种光芒，
真想紧紧拥抱你！
……
……

怎么会这样？
竟然被他们
抢走了！
布卡，
你……
跑哪儿
去了？

你干吗突然用头撞我呢？
都是因为你才让他们跑掉的！
怒
咻咻
怒

什么？难道你不认为是
自己的力气太小吗？
如果是我，就算
是石头飞过来，我
也不会放手！

没想到“螳螂捕蝉，
黄雀在后”吧！
呵呵呵
什么？

热衷收集古罗马
文物的我，在几个月前
很幸运地……
我最喜欢
美丽的
东西了。
这也是……
得到了一块
恺撒历碎片。
罗马
塞尔特
西班牙王国
日耳曼
希腊
公元前45年，恺撒为了
统治罗马和自己征服的
民族所制定的……
恺撒历！
恺撒历的确是一件
超级珍贵的文化遗产。
既然发现了这块碎片，那就表示
还有其他的恺撒历碎片，不是吗？

我为了寻找可以找到
其他恺撒历碎片的人……
才举办了
这场大赛。

那么刚才所说的，只有冠军
才能办到的事情……
原来就是寻找其他的
恺撒历碎片！
啊啊

但是，唯一能找到线索的
东西已经被他们抢走了……
对呀！根本就
没办法了。
不，被抢走的
只是一小部分而已。
得先想办法找到
其他的恺撒历
碎片！

能支配恺撒历的人
就能支配时间，
能支配时间的人
就能支配世界。
好了，怎么样？
作为冠军，应该有兴趣
挑战这个难题吧？
当然要挑战。但我认为这件事
不能草率行动，得先寻找线索……
嗯？
M公爵，
大事不好了！
噢！布卡
终于展现
出专业
素质了！

奖金全都不见了！
那些人把奖金
全都偷走了！
什么？
奖金？
M公爵……
嗯？
立刻去
把他们抓起来！
竟敢偷我
的奖金！
一分钱也不能
让他们花！

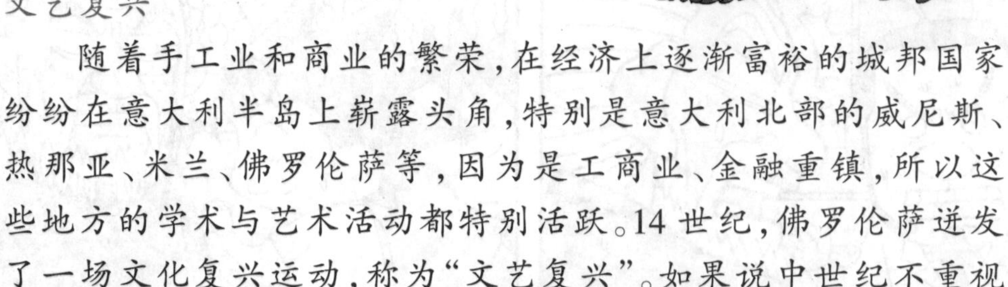

罗马的历史(2)

文艺复兴

随着手工业和商业的繁荣，在经济上逐渐富裕的城邦国家纷纷在意大利半岛上崭露头角，特别是意大利北部的威尼斯、热那亚、米兰、佛罗伦萨等，因为是工商业、金融重镇，所以这些地方的学术与艺术活动都特别活跃。14 世纪，佛罗伦萨迸发了一场文化复兴运动，称为"文艺复兴"。如果说中世纪不重视"人"，那么文艺复兴就是指脱离中世纪且重视个人与理性的新文化创造活动。这场思想文化运动，让当时的科学与艺术产生了巨大的变革，揭开了近代欧洲历史的序幕，被认为是中世纪和近代的分界，而马克思主义史学家则把这看作是封建主义时代和资本主义时代的分界。由于佛罗伦萨的美第奇家族在此期间赞助了无数的文化活动，使得佛罗伦萨在这场全方位的革命性新文化运动中备受瞩目。

© Shutterstock

圣母百花大教堂的圆顶　佛罗伦萨的大教堂，利用 400 万块砖建造而成，被视为文艺复兴时期的代表性建筑。

意大利统一运动

在统一之前，意大利只是区域名称，并非国家名。不过，随着 18 世纪末法国大革命的自由平等思想传入意大利后，意大利人想要建立自由民主国家的意识也开始萌芽。历史学家说："意大利的统一，归功于马志尼的思想、加里波第的刀剑和加富尔的外交。"1831 年，马志尼创立了青年意大利党，并展开统一运动，虽然他没有成功，不过加里波第将军和撒丁王国的国王伊曼纽尔二世、首相加富尔的携手合作，则让意大利王国在 1861 年建立时，已经达到某种程度的统一了。他们在法国和奥地利之间展开了战略性外交，夺回了被奥地利占领的威尼斯，同时使法国等外国军队撤离，终于在 1870 年完成了统一。

加里波第将军　意大利建国三杰之一，他献身于意大利统一运动，亲自领导了许多军事战役。

经历两次世界大战之后

1870 年，意大利虽然已经统一，甚至成为了一个殖民帝国，但是不同的生活方式与文化却让各地的意大利人无法真正融合在一起，加上在整顿经济秩序的过程中，被排挤在外的南部地区的农民与贫民发动叛乱，所以意大利虽然在第一次世界大战中获胜，随之而来的仍是经济的停滞与政治的恶化，导致国家陷入混乱之中。而在这一历史时刻登场的墨索里尼，打着反对社会主义的旗帜，发起了“法西斯运动”，以暴力镇压社会主义人士、农民及劳动者，并与德国的希特勒一起发动了第二次世界大战。意大利最后在战争中落败，墨索里尼被逮捕后，法西斯党也彻底瓦解。1946 年，意大利通过民主投票从君主制转变为共和制，建立意大利共和国，慢慢发展成为高度发达的民主国家。

第4章
手上的线索
M公爵的那个眼神
好熟悉啊……
是在哪儿见过呢？
不管怎么想
都想不起来。
咕噜
你怎么可能
见过从不露面的世界级
大富翁M公爵呢？
我也只是听说过他的
大名而已……
不过他好像有
好几个名字……
嗯……

总之，奖金也到手了，明天只要将这块恺撒历碎片卖掉，一切就结束了。

沙沙

沙

我们就再次分道扬镳，对吧?

什么结束？
应该说，
好戏现在才刚开始！
什么？
才刚开始？
没错！看清楚
这块碎片上的雕刻！
不就是恺撒的
半张脸吗！
你根本不了解
它的价值！
你知道诸多掌权者的
共同梦想是什么吗？
就是将自己的头像刻印在货币上，
因为这意味着自己的权力得到认可。
世界上最早将头像刻印在货币上的领袖
就是恺撒！
不仅如此，
罗马是当时世界权力的中心，
恺撒虽为罗马的领袖，但后来很多
国家用他的名字“恺撒”作为皇帝的
称号，“恺撒”便成了帝王的代名词，
例如“沙皇”就是“恺撒”的
俄语音译。
恺撒威廉二世
（德国皇帝）
沙皇彼得
（俄罗斯皇帝）

即使经过了 2000 年，
恺撒的影响力依然深远！
恺撒历就是恺撒权力
的象征！
我们拥有
这块恺撒历
的碎片也
就意味着
……
慢着！

啰唆死了！讲重点就行！

假……假设我们找到完整的
恺撒历，会怎么样呢？
什么？
世上的掌权者
都想得到这个恺撒历。
我来，我见，
我征服！
这就是我
所制定的
日历！
仔细想想，他们
不是想要一块碎片，
而是完整的恺撒历！
恺撒历？
而且是
完整的！
完整的
恺撒历？

我要买！
我要买！
所以好戏
现在才开始！
我们要找到
完整的恺撒历！
呵呵呵呵呵呵

真是个不错的主意！
不过这应该
不容易。
怎么才能
找到其他的
恺撒历碎片？
摸

我早就做好准备了……
我已经和这附近
消息最灵通的人
约好了。
啊？
啥时……

喂，这种事
为什么现在
才说呢？
应该已经甩掉警察了，
我们该出去了吧？
嗯啊啊啊！
我走不动了！

嘭
咚
找了一整天，
却没有任何线索！
难道是躲到地底下
去了吗？
呼
呼
呼
呼
呼
呼
谁叫你没计划好
就冲出来！
现在打算
放弃了吗？
谁说要放弃，
我只是累了！
TRE SCALINI
……
麦克，我被
峰塔娜的鞭子打到
的手还有点痛。
你想说什么？

眼泪汪汪
要是能吃个冰激凌的话,应该就会好一些……
肿肿
……
呜呜
啊!好痛!没有人能体会我的痛,呜呜!
……

吃吧,不就是冰激凌吗?这下行了吧?
啊
呜嗯!就是这个味道!
啊
在异国他乡就该入乡随俗。
你不知道吗?来罗马就要走西班牙阶梯,
吃意大利手工冰激凌,
将手放进“真理之口”,
然后将硬币扔进特莱维喷泉!
什么入乡随俗呀?
这就等于是遵守罗马的法令呀!
那我们要不要去特莱维喷泉呢?
抖抖抖

喂！不准你这样污辱《罗马法令》！
古罗马留给后世的遗产当中，最重要的就是《罗马法令》，你懂不懂？
请判决吧！
根据《罗马法令》，你……
罗马因为有遵循法令的传统，所以，可以说，罗马公民是由《罗马法令》保护着的！
现在的法治国家都是以《罗马法令》作为基础而建立的！
无罪！
好！好！《罗马法令》最棒了！
冰激凌也很棒！
狼吞
虎咽
啊啊……
恶心
哇啊！呸！
呸呸
搞什么嘛，沾到泥土了！
泥……泥土？
你……
嘿咻！嘿咻咻！
嘿咻！嘿咻咻！
快接电话吧！
寻宝王！
先接电话啊！
要我接？
嘿咻！嘿咻咻！

我的手还很痛，
这也是没办法的事呀！
而且又吃到了泥土……
抖抖
知道了，
知道了啦！
掏
啊啊！
你们终于接
电话了！

叔叔！
爸爸！

你们已经决定了
要去找其他的
恺撒历碎片吗？
我也想说
两句！

太棒了，儿子！只要
找到完整的恺撒历的话，
你就能变成名人了！
所以一定要……

可是没有任何线索，
很难进行下去！
M公爵没有多说什么，
那块碎片又被峰巴巴
抢走了……
咦？
你是布卡吗？画面太模糊，
我还以为是麦克呢！
沾到
什么了？
擦擦

啊，
大概是我的手机
沾到灰尘了吧！
等一下。
擦擦

麦克，把屏幕擦一下！
又使唤我了！

嚓

不会吧？
变得更脏了！
你的手是
干净的吗？
真是的，
我哪有时间
去洗手呀？

慢着，那么刚才
你是用那脏兮兮
的手喂我吃
冰激凌的？
这……这……

不过真是奇怪！右手很干净，怎么只有左手……
一定是你摸到了什么脏东西。
仔细想想，刚才猜谜大赛结束后……
啊啊！
对了，你用这只手抓过那块恺撒历的碎片！
那么，这就是从那块碎片上沾到的泥土？
嗅嗅
好像不是一般的泥土……
这种灰色粉末，说不定……
恺撒历碎片上的泥土？

叔叔，爸爸，
泥土可以作为线索吗？

说不定刚挖掘出来没多久，
还没来得及处理，
所以残留着挖掘时
带出来的泥土！

只要检测泥土的成分，
就能知道是在什么地区挖掘出来的！
没错！
我来检测，利用
最尖端的设备！
好！那我马上
将麦克手上的
泥土寄回去！
好！好！
麦克，
还愣着干吗？
动作快一点！
嗯……

锵

手机就
由你先拿着吧！
这……这是
当然的……
咻

这只手是唯一的线索，难道
你不知道该好好儿保护吗？
啊，知道，
我知道……

不好意思，
请让一让！
借过！

对不起！
他是谁？
王子吗？
请让我们过去。
嘿嘿！
咻
请让开！
咻
咻

让开！
给我让开!!
还不快
从我面前
滚开！
……

让开！别挡路！
啪
喂！你
冷静点！
啪
啪
现在不是
去特莱维喷泉
的时候！

现在不去何时
去？还没到赴约
的时间！
那个人不是说
1个小时后在
凯旋门见面吗？

这样四处乱跑，
要是被发现的话……
哼，
胆小鬼！

给我让开！
你们这些
笨蛋！
啊啊啊
啊
啊啊

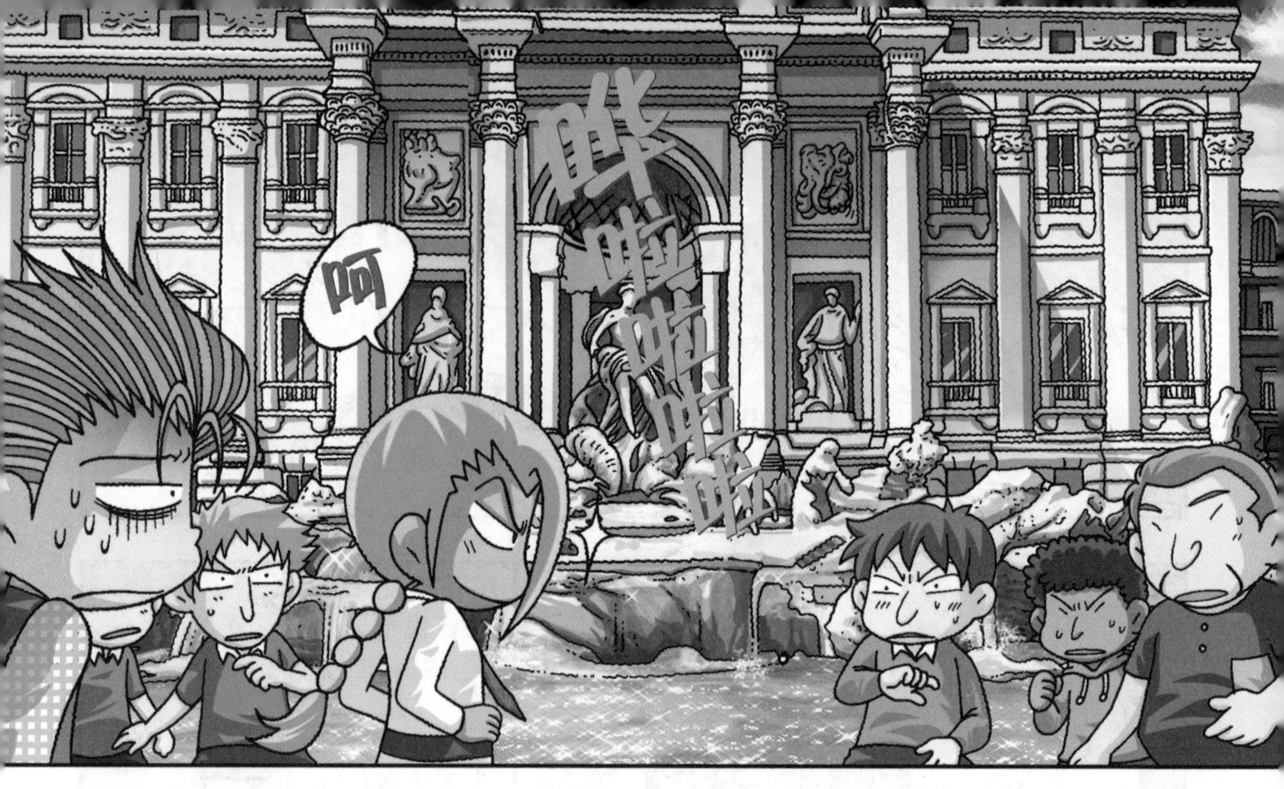
呵
哗啦啦啦啦

随着古罗马水道被破坏，15 世纪的教皇们为了解决用水的问题而建造了这座喷泉！
只要扔硬币进去，就会再次回到罗马；扔两次会遇到心爱的人；扔三次就会结婚，对吧？

罗马是座宝库！
咻
再次来罗马吧！

当

啊，
我的硬币！

啪！
滚滚滚滚

沙
从硬币被弹出来
这一点来看……

你该回去的地方是监狱，
罗马已经拒绝你们了！
你……你们！

看吧，我早说过
要小心的！
快点
逃吧！
抓

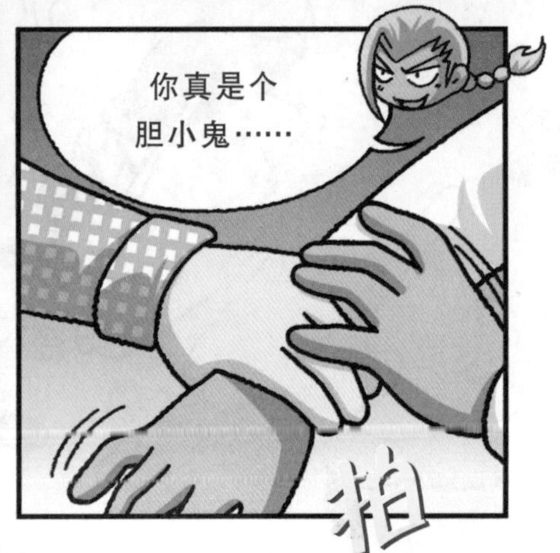
你真是个
胆小鬼……
拍

啪
现在该小心的是
这两个臭小子，
而不是我们！
嗯？
扑通
……
?!
噗
啊

接招吧，
钢镚弹！
咻
咻
咻
啊啊啊
啊啊啊！
咻
呜噢
啪
啪
啪
啪
哈哈，我的
实力如何？
快点
逃吧！
嗒嗒嗒

基督教在罗马的发展

基督教在罗马的传播

地下墓窖　在宗教战争中，基督教徒也曾将地下墓窖作为短期的避难所。

基督教是1世纪时由耶稣创立，在以色列兴起的宗教信仰。当时犹太人受罗马统治，而基督教强调博爱与宽恕，因此在受排挤的阶层里广为流传。使徒保罗和彼得大力宣传“福音”，使得基督教迅速传播到罗马地区。起初罗马并不干涉其他民族的宗教活动，但是随着基督教的势力越来越壮大，罗马帝国开始迫害基督教徒。尤其在将皇帝视同神明的罗马，拒绝崇拜偶像的基督教自然触怒当局。公元64年，尼禄皇帝将发生在罗马的大火归罪于基督教徒，并开始对其进行迫害，保罗和彼得也因此殉教。此后，罗马帝国对基督教徒的迫害持续了200多年。

基督教成为罗马帝国的国教

传说公元312年，君士坦丁大帝在米尔维安大桥战役中，将十字架绘在盾牌上，最终赢得了胜利，之后他废除四帝共治成为罗马帝国的不二君主。从此君士坦丁开始支持基督教，他在公元313年发布《米兰敕令》，承认基督教在罗马帝国的合法地位且为人民可以自由信仰的宗教。由此，基督教在公元380年成为了罗马帝国的国教。

东西罗马帝国基督教会的分裂

公元395年，罗马帝国分裂为东罗马帝国和西罗马帝国，两部分在政治、社会、语言、文化传统等方面的差异，影响了基督教，所以在其形成初期，就逐渐分成以罗马为中心的拉丁语派和以君士坦丁堡为中心的希腊语派，东西两派为教会最高权力和教义等问题长期争论不休，终至1054年由君士坦丁堡的教父阿卡西乌引发分裂而分成天主教和东正教。天主教会及其教皇制，作为独特的单一教会和体制，至此乃正式确立。

艺术作品中的基督教群像

许多大师的艺术作品都是以《圣经》中的人物和内容作为题材，因此多了解《圣经》，对于欣赏那些佳作会有很大的帮助哦！

© Wiki

米开朗基罗的《创世纪》 描绘的是上帝用6天创造世界的情景。其中《创造亚当》是这巨幅天顶壁画中最动人心弦的一幕。

© Wiki

波提切利的《天使报喜》 描绘的是天使向圣母玛利亚报喜，告知她即将受圣灵感孕而生下耶稣的场景。

© Shutterstock

© Wiki

米开朗基罗与贝里尼的《哀悼基督》 作品取材于圣经中耶稣被钉死在十字架上之后，圣母玛利亚抱着他痛哭的情景。

蒲公英谜语

呜呜——
可恶的坏蛋！

刚才他们
提到的约定地点
是那里没错吧？

嗯，他们确实是
说凯旋门！

这座凯旋门
是为了纪念在公元
70 年征服耶路撒冷的
提图斯皇帝而建的。

在描绘战况的
浮雕中，可以看到
军队从耶路撒冷
带回的七连灯台。

在世界各地寻找宝物
的我是不可能错过的！

总之，要是被我遇到，他们就完蛋了！
我一定要亲手报仇！
竟然把帅气的我变成这副德行，我一定要让他们付出代价！
倒倒倒……
唰啊啊
哇啊，快住手！
哈哈哈
哈哈哈
啪啪啪
他们可不是能轻松对付的对手哦！
什么？
你先看看这边吧！
塞维鲁凯旋门
这个古罗马广场是古罗马帝国政治、商业、司法和宗教活动的中心。
元老院
供审判和集会用的会堂、祭神用的神殿、统治者炫耀自己功绩的凯旋门……
安东尼斯与法斯提纳神殿
这都是象征古罗马帝国的辉煌的建筑，而他们竟然光明正大地约在这里……
虽然不知对方是谁，但肯定不是普通角色。
马森齐奥教堂

所以更要
抓到他们！
因为他们根本不懂
这里的历史价值，
只会任意糟蹋！
南边帕拉蒂尼山是
罗穆卢斯始建罗马城之地！
东边有古罗马
时代最大的遗产，
罗马竞技场！
西边则是
罗马的母亲河
台伯河！
历经建国、共和与帝制
的罗马帝国，是拥有
一千多年历史的国度。
所以才会有
这句谚语——
“罗马不是一天建成的。”

12 世纪法国《格言集》
初次出现这句话，是引用自
塞万提斯的《堂·吉诃德》，
对吧？
对，没错！
呃！
香水味！
我刚才在旁边都听到了。
你们知道的真多！
特别是
可爱的你！
咳咳！
啊，你是说我吗？

我叫布卡，梦想是
当一名考古学家。
目前正在
寻找宝物……
我叫麦克，
请问阿姨你是……
阿……
阿姨？

我叫弗兰
切斯卡！
我正需要像你们这样
热爱考古的人才。
你们想打工吗？

报酬就按普通
标准的 3 倍结算吧！
3 倍？

很抱歉，
我们不是来赚钱的！
我们有其他
的事情……
闪
拖
慢着，没想到已经这么晚了，
你们可以在这里等我 15 分钟吗？
因为我 2 分钟
后有重要的约会！

详细情况我们待会
再慢慢聊吧，如何？
嘿嘿
啊，
但是我们……
啵啵啵
那就这么
说定了！

那位阿姨真是的，
竟然自作主张……
真是！

对呀，她真是一个
奇怪的人，挑选的
约会地点也很特别。
是……
是啊。

竟然一眼就看出
我的才能，看来她
绝非一般人。
嘿嘿嘿

东张西望

麦……麦克！那……那个……
我……我也看见了，是凯旋门！

布卡！
好！
走近一点看吧！

啪
2 月本来不是 28 天。
是 30 天！

对，恺撒以自己的名字命名自己出生的7月，并且多加了1天，让7月变成了31天。

后来屋大维也以自己的名字命名8月，并且多加1天，让8月变成了31天。

真贪心啊！

啊……

要是被别人
听见该怎么办呢……
沙沙

啊啊……
那是我的保镖，
请别介意。
哦，保镖？

不过……
你应该
没忘记，只要
找到恺撒历
碎片的话，
就要交给我
保管吧？
只要你愿意给
我机会，那实在
是我的荣幸。
毕竟你主持着
全世界的有钱人都想
参加的“黑暗拍卖会”。

啊啊，也对！
你看见
那些花了吗？
转

这美丽的蒲公英
的种子。

呼呼
莫名其妙
拿起蒲公英
做什么呢？
啊！有一颗
蒲公英的种子飞到
你的手中了。

你不是说自己想拥有
完整的蒲公英吗？
我手中
有一颗蒲公英
种子？
她所说的
是……
既然如此，
就得先从根开始找吧？
根？
唯有这样才能
知道它们从哪儿飞出来，
又飞往了何处。
发现恺撒历碎片
的地方！
咕噜

唔唔！烦死了！
到底在说些什么
乱七八糟的呀？
唔
既……既然如此，
挖掘……
呃……你知道“根”在
什么地方吗？
呼
呵呵，
当然知道！
那个地方
就是……

在世界上发生的诸多
灾难中，还从未有过任何
灾难像此处一样，它带给
后人的是如此巨大
的愉悦。
悄悄
喂，
听不见！
再靠近
一点吧！
?!
带来愉悦的
灾难？
啊
哦，原来是
那个地方！

搞什么，那个笨蛋
到底知道些什么？
真是不干脆……
问出什么
来了吗？
嗯？
嘘，安静点！
听见了吗？
仔细听！
安静
点！
他们怎么会
跟来呢？
啊，已经过了 14 分钟了！
我 1 分钟后
有重要的约会，
告辞了……
啊，那么
下次见了！
转
转
那位阿姨
似乎知道恺撒历
的事情！
啊，峰巴巴
走了！

我们先去
这边！
哗啊
没……没错！
先去抓峰巴巴！

沙沙
在那里！
在那棵树后面！
嗒嗒嗒
他明明往
这边走的呀！
咦，
跑哪儿去了？

他应该还没走远，我们分头找吧！
那边没有路，就从这边开始找！
好，分头找，再联络吧！

啧啧……真是让人感觉不舒服的臭小子！
你现在知道了吧？

我并不是因为胆小才躲他们的！

哼，擅长逃跑值得炫耀吗？看那俩小子可怜，我就饶他们一次！

恺撒历到底
在什么地方？
快点去找吧！
沙沙
踩
哇啊啊！
我的手！
救命啊啊啊！
哼！笨蛋！
咚
咚！

伟大的罗马帝国建筑

罗马帝国的建筑物和以神殿为主的希腊建筑物不同，罗马人更追求实用性，所以留下了许多全民共用的公共建筑物。现今的罗马城仍保存着古人曾居住过的房子，当然还有竞技场和神殿等各种用途的建筑物，展现了罗马帝国的社会文化与生活方式。

罗马竞技场

罗马竞技场又名罗马斗兽场，是古罗马文明的象征。罗马皇帝韦帕芗于公元 72 年下令开始动工修建竞技场，直至公元 80 年他的儿子图密善皇帝在位时才得以完工。这是一个椭圆形的大竞技场，周长 527 米，外墙高度约 57 米，可以容纳近 9 万名观众。由于入场的设计经过严密计算，所以即使满座也不会造成进出拥塞。角斗士和猛兽所在的表演台位于地下 12 米深处，登场时使用手动的升降装置。至今有许多现代体育场，在建造时都仍采用罗马竞技场的多项设计巧思。

罗马竞技场　是古罗马帝国供奴隶主、贵族等自由民观看斗兽或奴隶角斗的地方。

竞技场的柱式结构

万神殿

万神殿始建于公元前27年，是为了祀奉罗马众神而建造的神殿，可谓奥古斯都时期的经典建筑，被米开朗基罗赞叹为“天使的设计”。公元80年的罗马大火，使万神殿的大部分被毁，仅余一长方形的柱廊，其中16根12.5米高的花岗岩石柱，后来被作为重建的万神殿的门廊，门廊顶上还刻有初建时期的纪念性文字，从门廊正面的8根巨大圆柱仍可看出万神殿最初的建筑规模。万神殿的底基、外墙和穹顶都是用火山灰制成的混凝土浇筑而成，非常牢固。

© Wiki

万神殿内部场景　圆窗让万神殿内部明亮且充满圣洁感。

罗马水道

随着领土扩张、人口增加，罗马人的用水量也相对增加，为了引来附近山脉的清澈泉水，罗马人建造了规模惊人的水道。水道经过之处，遇山就挖洞穴，有地形阻隔就搭桥，而桥本身就是水道。水道桥都是依照地形而建，高度不等，由于采用了分散重力的拱形结构，所以能够支撑桥自身与水的重量。罗马帝国在2000年前就有这种建筑技术，真是令人惊叹不已。

© Shutterstock

西班牙塞哥维亚水道桥　全长728米，有双层拱，最高处约30米，共有167座拱门，已被联合国教科文组织列入世界文化遗产。

第6章

最后一块比萨

可以在这里
等我 15 分钟吗？
那位奇怪的
阿姨呢？
嗯
她那么计较时间，
当然不可能多等。
为了保险起见，
我还特地跑回约定的地点
查看，结果也没看到人。
只差几
分钟而已……

PIZZA
那个阿姨跟峰巴巴
到底说了些什么？
一定有和宝物相关
的线索……
根本就听不见……
东张
西望

这种事问我有什么用呢？
我们当时在一起呀！

呼，我知道，
我只是因为
事情很不顺利
才会这样。
干脆放弃，
然后寻求其他
方法吧！
呼
啊？

这种丧气话
一点都不符合寻宝王
候选人的身份！
啧啧……
啧啧……
就算翻遍整个罗马，
也一定要找到他们！
听懂了吗？
啧啧……

我说啊……
那个啧啧的
声音……
是什么声音呢？
声……声音？
布卡你不会……
又在吃东西吧？
是不是？
喂喂！
你知道吗？
怀疑别人也是
一种病！
怎么能够对
正在辛苦搜寻
坏人的朋友说
这种话呢？

哦，是吗？
那现在正独自坐在
比萨店……
点了一桌的比萨和
意大利面……
正拿起一块比萨往
嘴里送，穿着蓝色条纹
衣服的骗子……
应该不是
你吧，朋友？
咻咻咻咻
……
蓝色条纹
意大利面
比萨
唧唧唧
!
抖抖抖
当……当然
不是我啦！
啪
那小子一定
长得比我还要丑！
……
怒气冲天

啊呸
呸呸
哦！
仔细一看……

那小子真是越看越蠢！
长得一副见钱眼开、背叛朋友的小贩模样。
咚
咚
喂，麦克！
你这样说也太夸张了吧！
什么小贩……

砰
哪里夸张了？现在这种情况下还在吃比萨的你才夸张吧？
等……等等！
啪嚓

让我再吃一块！
你真是不可理喻！
滑落

啪嗒

麦……麦……麦克！
我……我不是故意的！
哈哈哈
呼噜噜
我已经……
受不了……
嗯……
嗯……
为什么
一直往嘴
里跑呢？
吞下
既然来到意大利，就该尝尝比萨
和意大利面，这才叫入乡随俗呀……
也对，随着
意大利的食物
传入法国……
对欧洲的饮食文化
产生了相当大的影响。
没……没错！
法国的
亨利二世
美第奇家族的
凯瑟琳公主
食谱
啪
特别是比萨，虽然起源于公元前 3 世纪，
但现在这种闻名世界的制作方法，
则是在 18 世纪的意大利发展起来的。
在扁平的
面饼上面，
放上各种
材料，
然后加入
意大利白
干酪再烤。
哈哈哈

嗯，意大利的食材非常丰富！
地中海的特产橄榄，阿拉伯的柠檬、柳丁、香料，后来还有从新大陆引进的番茄、辣椒、玉米和南瓜，让意大利的料理方式更加多样。
橄榄
柳丁、柠檬、香料
番茄、辣椒、玉米、南瓜

没错。意大利人对饮食充满了热情与创意。
这也是意大利料理深受全世界喜爱的主要原因。
伸

没错，意大利人一般每天要吃 5 顿。
伸
嚓
……
干吗？你已经吃了很多，最后一块就让给我吧！
我的字典里没有"让"这个字，最后一块是我的！

嗡嗡嗡嗡嗡
惊吓
嗡嗡嗡
嘿咻！
嘿咻咻！
惊讶
嘿！寻宝王！
嘿咻！嘿咻咻！
接电话吧！

喂……喂？
爸爸？
叔叔，我
现在有重要的
事情……
麦克！
布卡！
查出来了！
查出来了！

已经查出来了？
我手上的泥土成分
已经查出来了吗？

没错，你用航空特快邮寄过来后，我连夜检测了！
附着在碎片上的泥土就是……
火山灰！
?!
火山灰？
没错，火山灰是火山爆发时喷出来的熔岩灰烬，主要成分和沙子一样是硅酸盐。
它的成分和颗粒大小因各处火山地质的不同而不同！
所以将意大利全区的地质资料和这些火山灰比照分析，结果我们……
嗒嗒嗒嗒

找到了相吻合的地方！
就是意大利南部的维苏威火山！
维苏威火山不就是……
维苏威火山南边本来有一座城市，那里气候温和、贸易往来频繁！
所以整座城市因商业的发达而繁荣……
公元 79 年，因为维苏威火山的猛烈爆发，让那里的一切全都化为乌有。
瞬间被火山灰湮没的城市……

没错，被埋在厚达
十余米的火山灰
当中……
经过 1500 多年
才重见天日的城市！
那个地方
就是……
啊
啪嚓

嗯？
啊啊啊啊啊

哇啊啊啊
喂！
你在做什么？
你打算连我的手
也吃下去吗？
呜呜呜呜呜
我说过我是
绝对不会让步的！
咀嚼
咀嚼
没时间了，
快点出发吧！
咀嚼
喂！站住！
把我的比萨
吐出来！
有点
咸呢！

意大利的美食文化

意大利料理历经数个世纪，与社会、政治的变迁共同发展至今。意大利人对美食充满了热爱，对烹饪也很有研究。自从欧洲人发现新大陆后，从南美洲引进的马铃薯、番茄、胡椒、玉米等食材，让意大利料理产生了极大的变化。后来，意大利料理随着美第奇家族与法国王室联姻而传入法国，成为西式料理的基础。意大利料理在不同的地区有不同特色，北部地区多使用奶油，面食类文化较发达；而南部料理则多使用橄榄油，经常以大蒜和番茄入菜。

正餐

意大利正餐的顺序一般是：头盘→第一道菜→第二道菜→点心→咖啡，用餐往往可以花上好几个小时。

头盘
让人食欲大振的冷盘或沙拉。

第一道菜
第一道菜主要是指意大利面、比萨、汤或意式烩饭等。

第二道菜
即主菜，是整个正餐的灵魂，主要是海鲜或肉类菜式。

©Shutterstock

配菜
常用大蒜、芹菜、马铃薯等，有时也在第一道菜和第二道菜上桌时一起摆盘。

点心
意式甜点，有冰激凌、饼干和蛋糕等。

咖啡
意式咖啡，即浓缩咖啡，味道浓烈，深受大众喜爱。

比萨

比萨是意大利的经典美食，起源于公元前3世纪，罗马相关的历史记载中是这样描述如何制作比萨的：圆麦饼涂上橄榄油，然后加香料放在石头上烤熟。如今的比萨口味和种类多样，在世界各地广受欢迎。

玛格丽特比萨　馅料用番茄、罗勒叶和奶酪制成，三种原料的颜色正好与国旗的颜色对应。

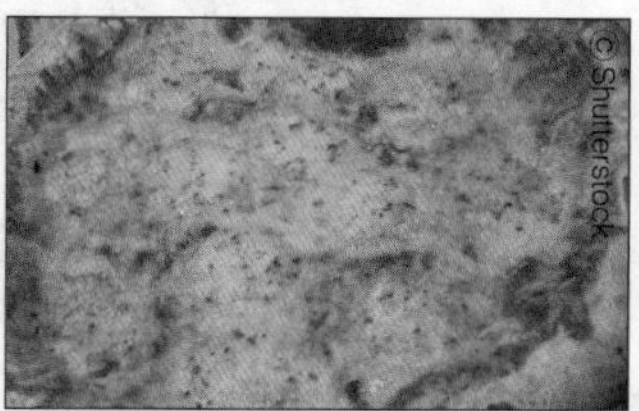
奶酪比萨　使用佛卡夏奶酪、意大利白干酪、戈尔根朱勒干酪、风堤那奶酪等各种奶酪制成。

加纳颂尼　香酥的面粉皮内包入奶酪和番茄等材料，又称比萨饺。

意式烩饭

意大利人喜欢用橄榄油或奶油将蔬菜、肉类先热炒，然后倒进高汤和大米，煮成奶香浓郁的米饭。

听说这源自于意大利北部料理。

意大利面

意大利面的制作材料很简单，主要是水、鸡蛋和小麦粉。其形态多样，除了各种各样的长面外，还有螺丝形、弯管形、蝴蝶形、贝壳形等短面。

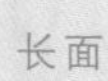
长面

长面（一般意义的"意粉"）

又长又扁的意式宽面

宽板状的千层面

短面

通心粉（长度短于4厘米）

利用马铃薯和面粉制作的意式面疙瘩

像笔管一样的笔管面

第7章
庞贝的遗产
你竟然说自己是寻宝王！你这个大骗子！
庞贝城
庞贝城！
哗
嗯嗯
发现恺撒历碎片的地方！
你确定吗？那个女人说的话我也听见了。

“在世界上发生的诸多灾难中，还从未有过任何灾难像此处一样，它带给后人的是如此巨大的愉悦。”
这个暗语为什么指的是庞贝城呢？
转
那并不是什么暗语，
而是歌德所说的话。
跳跃
跳起
歌德？
NO ENTRY
慢着，你又是什么时候去见过这个叫歌德的人？
啧
歌德是德国最伟大的文学家之一，是18世纪的人。
他在意大利旅行了1年零7个月后，发表了名为《意大利纪行》的名作。
什么嘛！是古人啊！
你刚才那番话就是他在游览庞贝城的遗址后，有感而发所说的。
嘆嘆……
在世界上发生的诸多灾难中，还从未有过任何灾难像此处一样，它带给后人的是如此巨大的愉悦……

恼怒
慢着，
仅此而已吗？
嗯？

装模作样说出一大堆的话，
结果就只查出个庞贝城
而已？
至少也要查出是
庞贝城的哪座
建筑物呀！

这种问题只要
稍微动动脑就
知道了。
稍微动动脑？

庞贝城是座繁华的商业城市，
到处都有罗马贵族的房屋。
火山爆发时，房屋里的宝物
也全都被埋在火山灰当中。
恺撒历一定也是
由当时这里的其中一位
罗马贵族保管着。
哦，意思就是说要
搜遍所有贵族的房屋！
不！现在庞贝城里
的物品全都是
仿制品！
真品都保存
在意大利国家考古
博物馆里。
原来在这里

是……是吗？
那就去搜查博物馆……
不对！
那……
那么……
送去博物馆前，会将挖掘出来的物品另外存放以便进行研究。
要是已经在博物馆里的话，那全世界早就都知道了。
那就是……
啪
这边没有异常。
这边也是。

就是那里吧？
点头

恺撒历的碎片上
还残留着庞贝城的
火山灰……
那就表示挖掘出来
没有多久！
大步
大步
呼
呼
呼
等……
等等我！
一定是因为没
发现那是恺撒历，
所以才保存在
某个地方！
大步
大步
也就是说在……嗯？
麦克？

呼呼呼
等……等等我！
不会吧？为什么
这么慢呢？

喂，拜托你想一想，我们
今天一天走了多少路！
拜托你先拟订
计划再行动。
不要
总是先行动
后思考！

拟订计划有什么用呢？
你的体力根本就
无法支撑……
连这么平坦的路
都走得这么慢！

罗马的石板路是为了让马车
顺利通行而建造的，并不是为人
步行而建，我又不是马车。

而且庞贝城是有公共浴场、
圆形剧场、议事堂的城市！
因为规模太大，
所以至今尚未
挖掘完毕，你以为这样
乱窜，宝物就会自己
跑出来吗？
嗡
嗡
嗡
嗡
也对！

嗯
庞贝城还没挖掘完毕……
也就是说，只要去正在
挖掘的地方……

对，
就是那边！
喂！布卡！
这样下去
会迷路的！
嗒
嗒
嗒
嗒
放心！
跟我来吧！
反正“条条大路
通罗马”！
呼
呼
呼
你……你要
上哪儿去呀？
咻

好，
就是那里！
咚咚
嗒
嗒
嗒
NO ENTRY

跳跃
绝对
没有错！
一定就在
这附近……
咻
咻
啊！
啧！锁住了！
不过也对……
但是，
说不定……
会有什么方法？
该怎么进去呢？
抓
沙沙

你在做什么？
你是怎么进来的？
这……这……
我……

啊，你们好，其实
我是寻宝王……
哈
最近因为有许多宝物
遭窃，所以加强了警备，
你不会是……
没错！
不过窃贼也得知道些
什么才会来行窃！
也对，这种小孩
怎么可能知道里面
的宝物呢？
看不起人！
但现在也只能
任由他们说！
沙沙

哈哈哈
就……就是说呀！
我和朋友玩捉迷藏，
结果不小心迷路了！
你们应该
正忙着巡逻吧？
那我就先走了，
不用管我！
我是一个平凡、
天真的小孩！
……

那我就告辞了!
咻

慢着,就算是迷路了,也不会来到这里。
看到你这个样子,就更可疑了!
得先带回去调查一下才行。

来,快点走吧!
我哪一点看起来可疑呢?
不需要这样吧?

呼呼
布……布卡你……被我抓到你就完蛋了!
呼呼

他是往哪边走的呢?那边吗?
不对,好像是这边……
这边!跟我来!
别犹豫了,快点来!

一看就知道
是这边！
你难道
就不会凭直
觉吗?就是
这边！
麦克！
快点！
呜嗯嗯

对！
与其
一直迷路……
咻

不如就在这里
等吧！
啪

嗡嗡
咦?

你没听到
什么声音吗?
又来了！进来的时候，
你没看见保险装置吗?
没有人能进来的！
只有我才能
轻易进来！
啪嗒

好了,不用担心,
尽情挑选吧!
这个
我也要!

你在干吗?那是为了装恺撒历
而特制的背包,我们要找的是恺撒历,
而不是这些无聊的东西!
哼
笨蛋!这种
古代宝物当然
越多越好呀!

有机会时
就要尽量
多拿一点!
背包已经满了,
那就放嘴里好了!
沙沙
你……你在
做什么呀?!

你疯了吗?
口水会弄坏它的!
咳咳

咬
这是
我的!
啪滋
滋
滋

呜呜，我已经
忍无可忍了！
咻咻
哼，忍无可忍
又如何？
噗
你不快点道歉的话，
那就决斗吧！
嚓
呸
哼！真是可笑！
尽管来吧，
谁怕谁?！
嗒嗒嗒
嗒嗒嗒嗒

咻咻
啪
?
沙沙
锵
锵
锵
锵
锵
哇啊啊！
我的宝物！
干吗不扣上
背包就乱跑呀！
受不了！
啪
接住了！
这也是！
啪
废话少说，
快点接住！
啪
看什么看？
快点接住呀！
啪
啪
啪
啪
啪
啪
啪

咚
哎呀！

摇晃
嗯？

小心！
匆匆忙忙

啪

你……
你没事吧？
呼呀

呜
当然！我是谁呀？
一个都没有漏掉！

我现在指的不是那个意思！
哗啊啊
啪
哇啊！
哇啊！
啪
啪
哇啊！

咦？缸里好像有什么东西……
你说什么？！
咳咳……

啊……
找到了……
恺撒历……
沙
呵呵呵
什么？
原来藏在这里！

呼，布卡到底
跑到哪儿去了呢？
连个人影
都没看见！
不会出
什么事情了吧？
砰
哇啊！
咦？好像
被什么东西挡住了。
噢噢！
呜
你……你们！

抓……抓到了，
臭峰巴巴！
啪嚓
呵呵！
这样……不算抓到吗？
呵呵呵呵

觉……觉悟吧！
布卡已经去
找警察了！
现在就在
路上，已……
已经快到了！

是吗？不过
怎么办呢？
我们已经
在那之前找到
这个了。
呵呵呵
这是
什么呢？

这……这是恺撒历？

没错，恺撒的宝贝已经
被我弄到手了！
甩甩
哇啊啊啊啊
最后的胜利
是属于我的！
砰砰
啊啊

哇啊啊啊 啊啊——
咻咻咻咻
布卡，救命啊！
麦克，
救救我！
哇啊啊
麦克
到底要到
哪里去？
还有
一段路……

罗马帝国的法令与生活文化

罗马法令

罗马法令是古罗马遗留给后人的最珍贵的文化遗产之一，从共和制时期历经帝制时代，直至1453年东罗马帝国灭亡，它都是治理这片庞大领土的基本法令。古罗马最初的成文法令是公元前450年所制定的《十二铜表法》，涵盖了债务法、继承法、婚姻法以及诉讼程序等各个方面，基本上是罗马人传统习惯法令的汇编，表现出维护贵族和富裕平民利益的倾向，体现出古代罗马人的法治精神和奴隶制国家的本质特点。古罗马人遵从这种成文法令，也遵从元老院的决定、地方风俗、皇帝敕令、法务官的判令等。之后，在古罗马领土扩张的过程中，随着异族的增加，为了便于管理，又制定了《万民法》。公元530年，查士丁尼一世为了整理当时极为混乱的法令，将原来的法令和法学家的见解编著成《查士丁尼法典》，后来被称为《国法大全》，并成为拜占庭帝国和西欧国家法令制度的基础。罗马法令后来推广至中世纪的欧洲，对于欧洲以外其他国家的近代法令精神也有深远的影响。

拉丁语

拉丁语是古罗马使用的语言，不只是意大利语、法语、西班牙语、葡萄牙语、罗马尼亚语等罗曼语系，就连德语和英语等印欧语系也都源自拉丁语。随着罗马征服地中海地区，拉丁语在欧洲几乎成为通用语言，而在罗马灭亡后则主要用于记录学术、法令以及演讲内容，一直到16世

纪为止，都被罗马教廷作为官方语言。

时至今日，拉丁语虽然被称为“死语言”，但梵蒂冈仍在教皇敕令、礼拜时使用拉丁语。同时，拉丁语也被广泛用于生物学的物种分类和哲学、法律、医学等学科的专业用语。

古罗马人的服装

古罗马人的服装融合了古希腊和伊特鲁里亚地区*的服饰风格，并依时代趋势演变而成。托加长袍（或称罗马长袍）是最能体现古罗马男子服饰特点的服装，也是罗马人的身份象征，穿着时一般先穿一件麻质“丘尼卡”，然后将托加搭在左肩并围绕全身。在罗马，只有男子才能穿着托加，此外，没有罗马公民权者是禁止穿托加的。

托加长袍
罗马人的外衣，将大约身高3倍长的布搭在肩膀上再包裹全身，根据阶层不同，托加的颜色也有所不同，以此区别身份。

丘尼卡
内衫，无论男女、各个阶层都可穿着。初期没有袖子，只须系上腰带，后来变成T字形的套装形态，贵族们会加上各种装饰以显示自己的身份。

斯托拉
女性用来搭配丘尼卡的服装，也是一种宽松长袍。

古罗马将领披风
贵族阶层穿着的披风。共和制时期主要是将领们的穿着，但在罗马帝国时代，皇帝也穿，在东罗马帝国一直到中世纪这段时期广受欢迎。

* 伊特鲁里亚地区：含今日意大利半岛及科西嘉岛，曾发展出伊特拉斯坎文明。

第8章
可疑的打工
罗马
庞贝
罗马
叹
你说那是真正的恺撒历？
绝对没错，就在峰巴巴手上！
疲惫
你知道我当时有多么害怕吗？
快放我下去！
挣扎挣扎
真的很恐怖！
呼呼呼
真可疑，快说！
到底要我说几次嘛？！
快说！
直到现在他们的声音还在我耳边回响……
快说！
快说！
我也遇到了可怕的事……
快说！
快说！

现在唯一的希望就是那位阿姨了！
毕竟她是到目前为止，对恺撒历最了解的人。
没错，既然是在罗马遇到她的，
说不定她还在罗马的某个地方。
灵光一闪

嗒
不过……

晕
呜呜
要在这么多人当中……
人声鼎沸
人声鼎沸
简直就是大海捞针嘛……
晕
噢噢噢？
那……那边……

东张
西望
不会
吧？
就在
那边！
沙沙
弗兰切斯卡
小姐！
哇，怎么会
这么巧呢？真是太
令人兴奋了！
天啊，
你们是……
上次没守约定的
那两个可爱的小朋友？
呼呼
呼呼
嗒嗒嗒
你为什么总是
东张西望呢？
其实我是因为厌倦了
王宫的生活，所以
逃出来了。
现在我正在想办法
甩掉护卫。
什么？
王宫？
护卫？

轰隆隆隆
你……你不会是……
抖抖
你猜得没错！我当然要趁现在享受罗马假日呀！
罗马，我一辈子都不会忘记罗马的，呵呵呵！
我和某个人很像吧？嗯？嗯？
我知道了！是罗拉姐！
她是谁？电影明星吗？

她是在讲奥黛丽·赫本主演的《罗马假日》，剧中她是个逃离王宫，
在罗马享受自由的公主。
!

不会吧？那她刚才是在模仿电影中的剧情吗？
呜

真是太棒了，你们对于历史和电影都很了解呢！
而且还聪明过人，我果然很会看人！
真的和罗拉姐很像，你看那些花！
闭嘴啦！
撞
呵呵呵呵呵呵

今天运气真不错呢！
在罗马的要事顺利完成，
正打算回去时……
就遇到了你们！
所谓的"要事"是指什么？
你要回去了？
回哪里去呢？
难道是
恺撒历？
跟我来你们
就知道了！

对了，你们想
打工吧？

紧张
是的！
点头

你们一定会觉得
又刺激又有趣的!
因为这份工作比欣赏
收藏在博物馆里的古物
更加神秘且真实。
难道是……
地下拍卖会?
阿
嘘!这只能意会
不能言传。
相信这件事会因为
你们而变得更加特别。
而且……
只要那件物品
今天送来的话,
一切就完美了!
咻
点头
!

威尼斯
什么?地下拍卖会?
是的,我们目前在威尼斯!
似乎准备上船。
轻声细语
目前还不清楚准确的位置,等到达目的地之后,我会再跟您联络的。
请M公爵您帮我们报警!
还真慢……
嗯……
慢……慢着!
你们不能去!太危险了!
放心吧!我是偷偷打电话的,现在得挂电话了。
啪

喂?喂?
喂……
嘟
嘟
嘟

这两个孩子
还真是厉害。
真的找到
恺撒历了吗?
嗯……

果然很有一套。
将这件事交给
他们去做果然
是对的。

真羡慕那
两个孩子。
不过……

猛然
光靠他们两个的
力量,是无法从那里
抢回恺撒历的!
我们得
帮忙……

啊，他来了。
麦克！
真抱歉！

噗
呵呵，没关系，听说你有过敏性肠炎？
什么？
过敏……

总之，你刚才是在清肠胃吧？
扑通 扑通
噗 噗 噗 噗 噗
哈哈哈，是啊……

也……也就是说……我有过敏性肠炎？
那是什么病？
对……对呀，麦克，你只要一紧张就会拉肚子呀……
谁知道！
是……是没错啦……
舒畅吗？

嗒嗒嗒
嗒嗒
我知道你是为了替我解围，可是一定要用大便来帮我解围吗？
我就只能想到这个借口嘛，而且这个理由还挺适合你的啊！
利用心电感应对话中
嗒嗒嗒

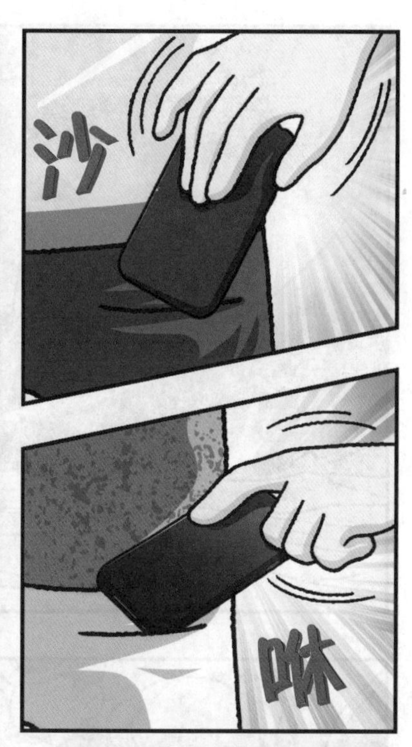
沙
咻

嗯？
我的手机！
暂时交给我保管。
等工作结束后，我会还给你们的。
啊……
好吧！
好了，那我们出发吧！
到我的世界去！
咻咻

适合我们的
工作……
就是这个吗？
锵
锵

真不愧是我的派对吉祥物！你们两个比我想象的还要适合这份工作呢！
大家一定都会迷上我的拍卖会的！
呵呵呵呵呵呵
呜呜呜，为什么偏偏是小丑？
我可是寻宝王呀！
呜呜
对了，想要更完美的话，就得戴上这个！

嚓

啪

对于威尼斯来说，面具是不可或缺的的物品！
对于想隐藏身份来参加拍卖会的人来说，没有比这更完美的了！

戴上威尼斯的面具，
大家的真实身份都被掩饰了，
不管是贵族，还是平民，
不管男女性别和地位，
大家都能同等享乐。
可我们
戴上面具是
为了……
难道你不知道
“优先女士”吗？
你得让身为女性
的我先下来呀！
笨蛋，男人要先下来，
才能扶着淑女呀！
而且不是什么“优先女士”，
是“女士优先”！
啪
哼
免了！
而且刚才
还是我划船！
哦，
已经来了！
峰先生，峰小姐！
你们来啦！
嚓
嚓

我们当然要来呀！
东西卖出去之后，有80%的钱是我们的！

沙沙
嗯？

这两个孩子是我的派对吉祥物。

小丑！
快点带客人进去吧！
匆匆忙忙
嚓
嚓
好了，请跟着他们走吧！

嗯？
嗒嗒嗒
嗒嗒嗒
真是奇怪！
嗯……
这两个小子
给我的感觉
挺熟悉……
她发现
了？
这种感觉真是令人
不舒服，太熟悉了！
在哪儿
见过呢？
沙沙
糟糕！
噗噗噗
啧啧，
必杀技！

呜哦哦！
毒……毒气……
啊，真抱歉！因为这个小丑有过敏性肠炎，所以才会这么失礼！
嘭咚
咳咳
什么？是我放的？

快点道歉呀！
不是……不是我放的！
臭气冲天
这是什么眼神呀？

啧啧，臭屁虫，别过来！
布卡，快点老实说！
不是我！我才不会随便在别人面前放屁！
啊啊啊嗯
咚咚
唑唑
消一下毒！

罗马的统治者

未加冕的皇帝——恺撒(公元前100年～公元前44年)

恺撒的雕像　恺撒利用强大的权力支配罗马,开始了皇帝体制。

尤利乌斯·恺撒虽然不是皇帝,却是拥有等同于皇帝权力的统治者。他在罗马共和时代末期,与庞培、克拉苏缔结成"前三头同盟",并深受百姓拥护。公元前53年,因为克拉苏在东方远征中战死,随后庞培被恺撒打败,逃往埃及被杀,自此恺撒开始了独裁统治。为了保护共和政治制度,他没有使用皇帝的称号,但实质上他已是罗马的独裁者。恺撒推动改革,实施了道路建设、农业开垦和贫困救济等各项社会政策,将自己神格化并确立王权。此外,他还进行了历法改革,制定了恺撒历(即儒略历),意在让永久的历法和太阳运行规律结合起来,不受宗教活动或其他人为因素的影响。而使用至今的"格里历"就是在恺撒历的基础上改革制定的。

罗马大帝——屋大维(公元前63年～公元14年)

恺撒遇刺身亡后,他的遗嘱在马克·安东尼的家中启封宣读,指定其养子兼甥孙的屋大维为继承人。当时19岁的屋大维与安东尼、雷必达结成"后三头同盟",但彼此之间却为了掌握权力而发生冲突。后来,屋大维成为了唯一的掌权者,并

获得了“尊崇者”之意的“奥古斯都”称号，展现了强大的领导能力。当时罗马在名义上依然维持着共和制，不过实际上却是所有统治权都集中在奥古斯都手中的帝制国家。屋大维强化国力，阻挡了异族的侵略，制定了各种制度让罗马帝国趋于安定。

恶名昭著的暴君——尼禄（公元 37 年～公元 68 年）

屋大维在 77 岁时离开了人世，在他之后陆续有多位皇帝统治过罗马，其中也有暴君，第五代皇帝尼禄便是最具代表性的一个。尼禄年仅 17 岁便登基成为皇帝，初登帝位时的他是个喜爱艺术的人，为了庶民而从政，支持各种艺术及文化活动。但是，他也有残暴的一面。他在庆典和剧场建设上投入大量资金，逐渐失去了元老院和民众的信赖；当公元 64 年罗马城发生大火灾时，有传言说，尼禄竟然看着燃烧的罗马城吟诗。尼禄将火灾的责任归咎于基督教徒，遂大肆迫害。后来在公元 68 年，他被叛乱军逐出后自杀，其暴君生涯才得以终结。

小说《你往何处去》的插图　该作品还原了基督教兴起与罗马帝国瞬间衰落的历史真相，于 1905 年获得诺贝尔文学奖。

罗马皇帝的称号

恺撒：恺撒是罗马帝国的奠基者，有恺撒大帝之称。罗马君主以其名字“恺撒”作为皇帝称号，之后德意志帝国及俄罗斯帝国君主亦以“恺撒”作为皇帝称号（俄语的“沙皇”就是“恺撒”的意思）。

奥古斯都：罗马帝国开国皇帝屋大维在改组元老院后获得的尊号，也成为之后的皇帝称号。

统帅：共和制时期用来称呼拥有军事指挥权的人。随着罗马帝国的军队统帅权完全落入皇帝手中，后来也指皇帝。

元首：意思是“第一市民”，内战结束后罗马唯一的统治者屋大维自任“元首”。

第9章

黑暗拍卖会

欢迎光临！
铿
今天的拍卖
很令人期待呢！
得告诉M公爵
这里的具体位置
才行……
没有手机
就得想其他
办法！

啊，有门！
是不是通到
外面的呢？
只要能到
外面去，就会
有办法……

好，那就
偷偷出去联络
M公爵吧！
吱呀
呜——
不会吧……

唔，真是严密
的地方……
别说是手机了，
连电话也没有……
四周都被封住了，
甚至还要戴上面具
掩饰身份！
呜嗯
没办法
了！

哗
哗
哗
嗯？

东张西望
麦克那小子又跑哪儿去了？
竟然擅自乱跑……

好了，拍卖即将开始！
另一个人跑哪儿去了呢？
从刚才开始就没看到他……
这……这……

啊，又去厕所了吗？
点头点头
嗯！
大概是因为太紧张了，可能会去很久吧！

是吗？
还真奇怪呢。
这里又没有厕所，他是跑去哪儿了呢？
！
嗯嗯
什么？

他……他会
跑去哪儿呢？
不不，别担心！
我会找到你的
朋友的！
拍
去找那个小子！
是！
咻
有点奇怪！
在这个地方……
只要稍有不慎，
就会迷路的。
啊，
糟糕！
快去找
那个小子！
出入口
有异常吗？
麦克！
各位贵宾，
让大家久等了！
忐忑
不安
匆匆
忙忙

第一件物品是……
噢噢噢
杀死弟弟、成为独裁者，臭名昭著的罗马皇帝卡拉卡拉的除垢棒！

除垢棒是一种能够刮除体垢的金属棒。

议论
纷纷
除垢棒？
那是古董吗？
那种东西？
关于这个东西的历史……
由这个小丑为大家讲解！
是……是！
啊！

没……没错！罗马贵族会叫奴隶帮他们在身上抹上油和薄薄的一层沙，然后再刮除污垢和沙……
乱语
如果不想刮伤皮肤的话，就得轻轻刮才不会痛……
那个小子是谁呀？
胡言
我到底在说什么呀？

*加仑(gal)：容积的单位，1加仑在英制中大约为4.546升，在美制中大约为3.785升。

最能看出这种古罗马
沐浴文化的遗迹就是……
卡拉卡拉皇帝所建的巨型沐浴场！
用来为他刮除污垢
的除垢棒，价值
几何呢？
举
2
好！
我要买！
2
1
什么呀？
当然是由
我来买！

既然如此，我
就加 500！
我加 1000！
2
1
不要搅局，
那是我的！
啪
这是我要说的！
1
啪
这是怎么
回事？已经联络到
M 公爵了吗？
还没，因为
没有办法
联络他……
交头接耳
什么？
哗
啦

好了，那就进入
下一个阶段吧！这也是大家
最期待的一件宝贝。
♫
21
唰
终于……

大家应该
都知道了吧？
今天的主角是——
恺撒历！
咔嗒

因为有昨天，所以才有今天，
也正因为有今天，所以才有明天，
历史乃是由时间所创造。
现在各位眼前的是承载时间
与历史的最耀眼的宝物。
那个
是……
恺撒历！
代表着权力和尊荣的
恺撒大帝，他下令制作
的日历！
支配时间的人
就能支配整个世界！
想要赢得全世界的话，
就必须拥有曾站在世界顶端
的恺撒下令制作的日历！

支配时间
的人……就能够
支配整个世界！
呵呵
7,000,000
8
14
12,000,000
我要买！
3
270,000
太了不起
了！
9
46,000,000
那是
属于我的！
16
7
54,000,000
2倍！
就算花光所有的财产，
我也要抢到！
1
我不会让你
得逞的，时间
的主人是我！
2
3倍！

我出4倍！
哈，真是可笑！
那我就出5倍！
6倍！
7.5倍！
……
寂静
……

呵呵，因为这是有史以来最贵的拍卖品，所以让我也开始有些紧张了呢！
请注意，我们向来是现金交易。
议论纷纷
两位应该都知道吧？
嚓

啊，其实刚才买下除垢棒后，我的钱就不够了。
怒
咳咳，我差点忘记自己在收集的是文艺复兴时期的物品。
我只要文艺复兴的物品……
我放弃……
我也放弃……
悄悄
悄悄

啊，原来如此！
你们在我的派对
上搅局是吧？

这样很有意思吗？
那就请两位也付出代价吧！
竟敢……
哗
啪啪啪
呃啊啊！

请……请原谅我们，
我们只是一时糊涂而已！
对……对呀！古罗马
和文艺复兴根本就
毫无关系！
请原谅
我们吧！
两位现在才知道
这种基本常识吗？呵呵，
那我就原谅你们吧！
不过，规则
是不能被破坏的，
请两位立刻……
等一下！

古罗马和文艺
复兴没有关系吗?
不是这样吧!
现在不需要
这种讲解!
公平的法律和
追求实用性的艺术,
全都是从古罗马时代
累积而来的!
嚓
力图复兴古典
文化,对知识和精神
的空前解放与创造,
就是所谓的……
嚓
文艺复兴!
而且……
……
这个宝物是世界文化
遗产,不是可以用金钱
来买卖的东西!
哗啊啊
那两个
纠缠不清
的小子!
不会吧?!
难怪我觉得
很可疑!

你们竟然敢……
在我的派对中摘下
面具……
不仅违反派对的规则，
还破坏派对的气氛？
嗒
嗒
将这两个小子
拖出去！
嚓
是！
啪
还真是勇气可嘉呢！
不过，难道你们忘记这里
没有你们的人了吗？
愚蠢！
我早就警告过
你们了吧？
恺撒历和胜利
全都是属于我们的。
哼

砰
咔嗒
恺撒历……是我的！

麦……麦克，
这个声音是……
没错，
是M公爵！

意大利的世界遗产(1)

庞贝、赫库兰尼姆和托雷安农齐亚塔考古区(1997年被列入世界文化遗产)

公元79年8月24日维苏威火山的爆发,吞没了两座繁盛的罗马城市:庞贝和赫库兰尼姆。从18世纪中叶开始,被掩埋的一切都逐渐被挖掘出来并向公众开放。庞贝商业城的广阔,与规模不大却保存完好的赫库兰尼姆假日胜地相得益彰,而托雷安农齐亚塔的奥普隆蒂斯别墅的壮丽壁画,则向我们呈现出早期罗马帝国富裕的市民生活方式的生动画面。

© Shutterstock

庞贝城建筑物内部　当时庞贝城是罗马富裕阶层的度假胜地,所以房屋中有精美的壁画与雕刻,并且用马赛克装饰。

罗马历史中心(1980/1990年被列入世界文化遗产)

公元前753年,罗穆卢斯和雷穆斯两兄弟所建立的罗马城,是罗马文化的中心,而且也一直扮演着地中海文化中心的角色。这里除了有可以一窥古罗马政治和文化的古罗马广场,还有罗马竞技场、万神殿、君士坦丁凯旋门、卡拉卡拉浴场、城外圣保禄大殿、人民圣母教堂等历史遗迹。

©Wiki

古罗马广场　历史悠久的广场,是古代罗马帝国的政治和经济中心。

威尼斯(1987 年被列入世界文化遗产)

威尼斯位于意大利东北部,始建于 5 世纪前后,是当时当地人为了躲避异族侵略而建立的海上城市,过去曾为地中海的贸易中心,直到 15 世纪都是个强盛的海上城市。由于当时引进各种文化的原因,所以当地保留着文艺复兴风格与拜占庭风格相互融合的建筑物,以圣马可广场为首,还有埋葬着耶稣门徒圣马可的圣马可大圣堂、洋溢着哥特式风格的道奇宫等代表性建筑物。

威尼斯　建筑在水上的城市威尼斯,是世界上唯一没有汽车的城市,出门只有靠步行和坐船。

那不勒斯历史中心(1995 年被列入世界文化遗产)

那不勒斯位于意大利坎佩尼亚地区,罗马西南 185 千米处,公元前 470 年由希腊移民始建,历经了罗马帝国的殖民统治,8 世纪成为一个独立的公爵领地。后来在 16 世纪初受西班牙统治,最后于 1860 年成为了意大利的一部分。现在的那不勒斯拥有许多文化遗产,如:那不勒斯主教大教堂、查理一世所建造的诺沃城堡等。作为欧洲最古老的城市之一,那不勒斯对欧洲大部分地区甚至欧洲以外的地区,都产生了深远的影响。

那不勒斯港口　景色优美的那不勒斯港,让人印象深刻,被誉为世界三大最美丽港口之一。

第10章

M公爵的真实身份

我终于得到了……
恺撒历!
呵呵呵

我早就猜到在大赛中获得冠军的你们会成功!
呵呵呵
这一切都按照计划进行着。

不过M公爵,
您是怎么找到这里的呢?
仔细一看,您的脸似乎和以前有些不同,是因为刮了胡子吗?
手机被抢走后,根本没办法联络……

呵
哗
将任务交给
你们两个小子
果然是对的。
啪
啪
嗯?那是
追踪装置!
怎么会这样?!
趁我们
不注意时……
沙沙
那个小子说过……
你们的实力比大多数
调查员都强……
不过呢……
要是你们聪明一点
的话,现在就该察觉
到了不是吗?
嗯?
这……这句话
的意思……

我们一直都被
利用了？
不会吧？！
喂！在我的派对
上是没有例外的！
快给我
戴上面具！
啪
嗒
不可能的！
怎么会呢？
这全部都是
陷阱？
哼，你们以为只有你们
有枪吗？
嗒
砰
砰
砰
砰
呃啊
啊

难怪……
他的眼神让我
觉得很熟悉。

以残酷闻名的
那个组织的首领？

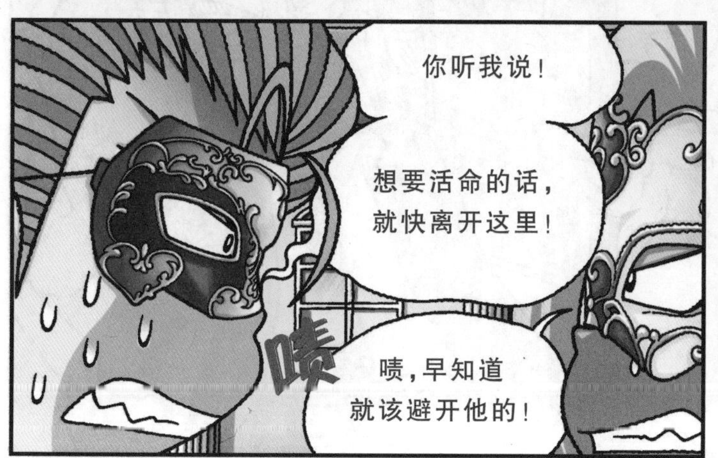

既然来到这里了，
咻
嗒
?
就不能空手而回！
哇啊
不要啊！
峰塔娜！
咻咻
这本来就是属于我的，所以当然要带走！
啪

用那双
脏手……
你竟敢……
闪
啪
紧张
碰我的宝物！
啊啊啊！
好强的力量！
咻咻咻

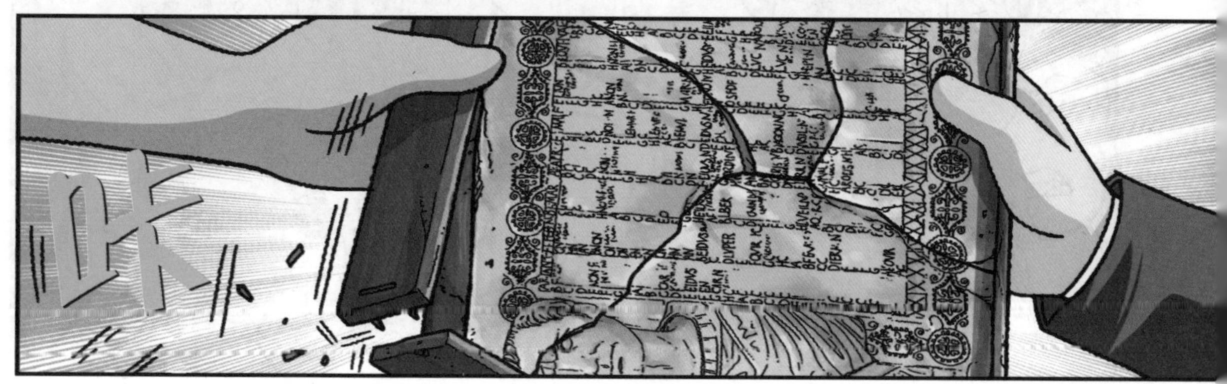
咔

唰唰
砰
呜啊！
啪嚓
掉

敢伤害老大的
那个家伙……
绝对不能让你
活着出去！
唔唔……
开枪！

不要！
砰砰砰砰
呼呼
啪啪
啪
啪
咻
够了！
我的宝物碎裂了，
快去找另外两块碎片，
好像掉在那边了！
是！

可以麻烦各位
往后退一点吗？
啊啊，
是！
匆忙
啧啧
竟然被
瞧不起……

我也不会
坐以待毙的！
咔嗒
1号
咔嗒
2号
3号
咔嗒

来，收下
我的礼物吧！
咻
砰

呜呜
吸吸
咳咳

哈哈哈
哇啊！
如何？这是最新式的催泪弹！
只要吸入的话，就会眼泪、鼻涕和口水齐流哦！
是催泪瓦斯！
咳咳咳咳
快点戴上防毒面具！
嗯
流下
我快因为你而短命了！
咳咳
嗒嗒嗒嗒嗒
布卡！
好！
快……快点！先去找恺撒历！
咳咳
咳咳

啪
?!
啪
这恺撒历……
就由我们
带走了！
到最后还是
不肯乖乖
听话吗？
啧啧
给我适可而止，
这里已经完全
被我控制了！
你们没办法
带着宝物离开的！
发飙
惊讶

砰
?!
警……
警察?
不准动!
我们是警察!
哪里都去不了?
路是创造出来的,我们
的路就是保护古物。
因为没办法联络M公爵,
所以我就制作了写有
求助内容的纸船!
请报警。
哦,
有水!
POLIZIA
威尼斯所有的水路都是
连通的,所以无论在哪儿
都能看到纸船吧?
天啊,
真是
聪明!
……

全都把枪放下！
有人举报这里正在
进行违法的拍卖……
流下
哇啊啊，
这是什么？
是谁使用了
催泪弹？
快点
戴上防毒
面具！
嗯，时间差不多
到了。
嗒嗒
嗯？你听见什么
奇怪的声音了吗？
嗒嗒
好像是从那边
传来的……
嗒嗒
啊！
在外面！
直……
直升机？

锵
锵
哇啊！
啊
唰
咔嚓
咻咻
听清楚了！
什……
什么？
他们被
救走了！
呵呵呵

你们这两个……
带来麻烦的臭小子!
嚓
今天暂且将恺撒历
和你们的小命留着。
不过,我很快
就会回来找你们的!
唰
呵呵
咔嚓
咻
咻
什么?!

一群卑鄙的坏蛋！
尽管来吧，我随时恭候大驾！
因为我们一定会保护好恺撒历的！
嗒嗒嗒
嗒嗒嗒

嗒嗒嗒嗒嗒

这全都是误会，我们只是在进行高层次的文化交流而已！
结果……
还是没能找到另外两块碎片。
嚓
怎么找都找不到，大概是被M公爵带走了。
不，能够把碎片留住已经很不错了！
真是谢谢你们！
嘿咻！嘿咻！寻宝王！
是。

啊，
是我的手机！
那还给你们吧！
我们的手机被坏人抢了。
嘿咻咻！
嘿咻！

咦？我的手机不见了！
要不要去另一边的保管箱找找？
喂？
啊，叔叔！
是我。布卡，
事情怎么样了？

这件事说来话长，
那个M公爵……
欺骗了我们，
而且……
什么？
坏人？
那么宝物呢？
嗒嗒嗒

嗯？这里也没有……
掉哪儿去了呢？
找到宝物，
最后却……
所以我……
翻找
翻找

啊……

为什么会
在这里呢？
啪

站住！
别跑！
跳跃

嗯？
我的手机
逃走了……
哎呀！

啪
抓到了！
果然
上钩了！
嚓

手机对小孩果然很有吸引力。
呵呵
呵呵
嗯？
刚才中标的
大叔……
嘘
小声
一点……
大叔你为什么会在这里呢？
你先听我说完！
转
你应该先接受警察的调查！
好了，只要再等一下就好了……
翻找
翻找
你先看看这个吧！

喂，小丑！

喊谁呢？
啊，那个人是……
沙沙
没错，
就是你！
你应该认得这个东西吧？

沙沙
等……
等一下！
你想
做什么啊？

情况你都看见了，
我刚才可是冒着生命危险
捡起这块碎片的。
啪
既然如此，
说明碎片不是被
M公爵带走了！
我们已经看到你们
强大的实力了。
恺撒历碎片
怎么会在那个人
手上呢？

我会将这块
恺撒历碎片交给你……

咚
但我恳求
你……
答应
我的请求！
嘭
咚
拿到这块
恺撒历的碎片……

《意大利寻宝记1》完，敬请期待《意大利寻宝记2》！

2015 超级畅销书

我的第一本科学漫画书·寻宝记系列

寻宝记

阅读轻松幽默的漫画，打开前往世界的大门！

追寻各国的文化珍宝，体验精彩刺激的考古大冒险！

全球畅销12000000册！

“我的第一本科学漫画书 · 寻宝记系列”是一套引自韩国著名大韩教科书出版社的大型人文历史漫画书，集聚了韩国一流知识漫画创作团队的经典之作。这套图书内容丰富多元，以国家为单元，每册一国，通过两位寻宝少年——布卡和麦克在世界各地探险寻宝的经历，展示了丰富多彩的世界历史画卷，涵盖历史掌故、文化遗产、风土人情等方方面面，将世界历史知识和世界地理知识等内容巧妙地融进精彩的探险故事中，让孩子们在轻松而富于趣味的阅读中饱览各国文明。本书在每个章节后，均附有简明的各国概况，由浅入深，拓展孩子们的阅读视野。

加拿大
寻宝记

越南
寻宝记

奥地利
寻宝记

以色列
寻宝记

古巴
寻宝记

瑞士
寻宝记

新西兰
寻宝记

意大利
寻宝记1

意大利
寻宝记2

菲律宾
寻宝记

瑞典
寻宝记

芬兰
寻宝记

秘鲁
寻宝记

波兰
寻宝记

捷克
寻宝记

图书在版编目(CIP)数据

意大利寻宝记 1 / 韩国小熊工作室著;(韩)姜境孝绘;张卡译.
—南昌：二十一世纪出版社,2013.8(2017.7 重印)
(我的第一本科学漫画书·寻宝记系列；26)
ISBN 978-7-5391-8703-7

Ⅰ.①意… Ⅱ.①韩… ②姜… ③张…
Ⅲ.①意大利-概况-少儿读物 Ⅳ.①K954.6-49

中国版本图书馆 CIP 数据核字(2013)第 085967 号

我的第一本科学漫画书
寻宝记系列·意大利寻宝记 1　[韩]小熊工作室/文　[韩]姜境孝/图　张　卡/译

出 版 人　张秋林
责任编辑　万　静
出版发行　二十一世纪出版社
(江西省南昌市子安路 75 号　330009)
www.21cccc.com　cc21@163.net
激光照排　杭州富春电子印务有限公司
印　　刷　杭州富春印务有限公司
开　　本　787mm×1092mm　1/16
印　　张　12
版　　次　2013 年 8 月第 1 版
印　　次　2017 年 7 月第 13 次印刷
书　　号　ISBN 978-7-5391-8703-7
定　　价　25.00 元